Ines Scheurmann

Wasserpflanzen im Aquarium

Auswahl, Pflanzung, Pflege, Vermehrung
und Technik
Sonderteil: Schöner wohnen mit Pflanzenaquarien
und Paludarien

Mit Farbfotos bekannter Pflanzenfotografen und
Zeichnungen von György Jankovics

GU
Gräfe und Unzer

Hinweis und Warnung

Für die Pflanzen- und Aquarienpflege sind in diesem Buch elektrische Geräte beschrieben. Beachten Sie unbedingt die Hinweise auf Seite 14, da anderenfalls schwerwiegende Unfälle passieren können. Achten Sie streng darauf, daß Kinder oder auch Erwachsene Aquarienpflanzen nicht essen. Es können erhebliche gesundheitliche Störungen eintreten. Bedenken Sie bei der Erstschaffung eines Aquariums, daß 1 l Wasser 1 kg wiegt und das Gewicht des gefüllten Beckens bei den im Buch genannten Größen daher mehr als sieben Zentner betragen kann. Prüfen Sie die Belastbarkeit des Zimmerbodens, achten Sie unbedingt auf eine absolut feste und ebene Standfläche, da Unebenheiten zu Glasbruch und erheblichen Wasserschäden führen können.

Ines Scheurmann

geboren 1950, Diplombiologin (Spezialgebiet: das Verhalten von Fischen), hat langjährige praktische Erfahrungen in der Pflege und Vermehrung von Aquarienpflanzen und -fischen. Sie ist Autorin des Buches »Das GU Aquarienbuch« und Mitautorin des GU Ratgebers für Aquarienneulinge »Das Aquarium«.

CIP-Kurztitelaufnahme der Deutschen Bibliothek

Scheurmann, Ines:
Wasserpflanzen im Aquarium: Ausw., Pflanzung, Pflege, Vermehrung und Technik ; Sonderteil: Schöner wohnen mit Pflanzenaquarien u. Paludarien / Ines Scheurmann. Mit Farbfotos bekannter Pflanzenfotogr. u. Zeichn. von György Jankovics. – 1. Aufl. – München: Gräfe und Unzer, 1987.
(GU-Aquarien-Ratgeber)
ISBN 3-7742-5042-1

1. Auflage 1987
© Gräfe und Unzer GmbH, München

Redaktionsleitung: Hans Scherz
Lektorat: Renate Weinberger
Herstellung: Birgit Rademacker
Umschlaggestaltung: Heinz Kraxenberger
Satz und Druck des Textteils: Buch- und Offsetdruckerei Wagner GmbH
Reproduktion und Druck der Farbbilder und des Umschlags: Graphische Anstalt E. Wartelsteiner
Bindung: R. Oldenbourg

ISBN 3-7742-5042-1

Die Fotografen:
Brünner: Seite 10 u. M., u. r., 19 o. l., u. l., 20 oben; Kahl: Seite 9, 29 o. r., unten, 39, U 4 o. r.; Möhlmann: Seite 10 o. r., 20 unten; Paffrath: U 2, Seite 10 o. l., o. Mitte, Mitte l., Mitte M., Mitte r., u. l., 19 o. M., o. r., Mitte l., Mitte M., Mitte r., u. M., u. r., 29 o. l., 30 o. l., o. Mitte, o. r., Mitte l., Mitte M., Mitte r., u. l., u. M., U 3, U 4 o. l., u. l., u. r.; Reinhard: U 1, Seite 30 u. r., 40 oben, u. l., u. r.

Die Farbfotos auf dem Buchumschlag zeigen:
Umschlagvorderseite: Pflanzenaquarium mit Neonfischen (*Paracheirodon innesi*). Vorne links: Carolina-Haarnixe (*Cabomba caroliniana*); vorne rechts: Horemann's Schwertpflanze (*Echinodorus horemanni*), dahinter: Sumatra-Farn (*Ceratopteris thalictroides*).
Umschlagseite 2: Langblättrige Barclaya (*Barclaya longifolia*).
Umschlagseite 3: Beispielhaftes Pflanzenaquarium. Vorne rechts: Eidechsenschwanz (*Saururus cernuus*) nach hinten ansteigend; Mittelgrund: rechts Rotweiderich (*Rotala macrandra*), links Großes Fettblatt (*Bacopa caroliniana*), davor Perlkraut (*Micranthemum umbrosum*).
Umschlagrückseite: Oben links: Kriechende Ludwigie (*Ludwigia repens*); oben rechts: Herzblättriger Wasserwegerich (*Echinodorus cordifolius*); unten links: Kleinohriger Büschelfarn (*Salvinia auriculata*); unten rechts: Rotweiderich (*Rotala macrandra*).

Inhalt

3

Ein Wort zuvor

Ein Aquarium wird erst durch attraktive und gut gedeihende Wasserpflanzen zum dekorativen Blickpunkt eines Wohnzimmers. Eine solch faszinierende, von allen bewunderte Unterwasserwelt zu schaffen, ist leichter, als mancher denkt. Es gelingt vor allem dann, wenn der Aquarianer die Lebensansprüche der Wasserpflanzen genau kennt und weiß, welche lebenswichtigen Aufgaben die Pflanzen als Sauerstoffspender und Wasserreiniger im Aquarium haben.

Die Autorin, eine erfahrene Aquarianerin, gibt in diesem Buch Rat und Anleitung für die richtige Auswahl der Pflanzen und die optimale Pflege, so daß alle Aquarienbewohner – die Pflanzen und die Fische – gleichermaßen gut gedeihen können. Sie gibt praxiserprobte Tips für die richtige Düngung und die erfolgreiche Vermehrung von Wasserpflanzen. In einem ausführlichen Kapitel ist beschrieben, wie man Aquarientechnik sinnvoll einsetzt, um die grundlegenden Lebensansprüche der Aquarienbewohner – also Wärme, sauberes Wasser und Licht – erfüllen zu können. Alle Ratschläge sind so leicht verständlich, daß auch ein Anfänger sie nachvollziehen kann.

Der neue GU Aquaristik-Ratgeber bietet dem Aquarianer vier der beliebtesten Gestaltungsmöglichkeiten an, und zwar mit den dazu erforderlichen Planungshilfen und Pflegemaßnahmen:

• das Fischaquarium mit attraktiven Wasserpflanzen,
• das Pflanzenaquarium mit kleinem Fischbesatz,
• das offene Aquarium mit kleinen Fischen und mit Pflanzen, die über die Wasseroberfläche hinausragen und dort blühen,
• das Paludarium, in dem sich Wasser-, Sumpf- und Landpflanzen zu einer eindrucksvollen und zum Teil auch blühenden Pflanzengemeinschaft vereinigen lassen.

Ein Schwerpunkt des Buches ist der große Artenteil (»Die Aquarienpflanzen«, → Seite 53), in dem 60 der schönsten Wasser- und Sumpfpflanzen beschrieben und abgebildet sind. Die genauen Angaben zu Aussehen, Lichtbedürfnis, Wasserbeschaffenheit und Pflegemaßnahmen sowie die Hinweise zum Standort der Pflanzen im Aquarium erleichtern das Zusammenstellen einer attraktiven, gut funktionierenden Pflanzengemeinschaft. Die detaillierten Pflegehinweise, die informativen Pflanzenzeichnungen und viele Farbfotos machen es leicht, bestehende Pflanzenbestände harmonisch zu ergänzen oder ein neues Aquarium dekorativ zu bepflanzen.

Krankheiten gibt es bei Aquarienpflanzen nur selten, aber Fehler bei der Auswahl der Pflanzen, der Düngung und Pflege können Schädigungen hervorrufen. Das Kapitel »Pflanzenschäden und -krankheiten« enthält viele Ratschläge, wie man die Ursachen von Störungen im Aquarium erkennt und beseitigt.

In einem gut gepflegten Aquarium, in dem die Pflanzen üppig gedeihen, Sauerstoff produzieren und das Wasser rein halten, werden sich auch die Fische wohl fühlen, ihr natürliches Verhalten zeigen und sich wahrscheinlich sogar vermehren.

Autor und Verlag danken allen, die dazu beigetragen haben, daß dieser GU Aquaristik-Ratgeber mit ausgezeichneten Farbfotos und informativen Zeichnungen ausgestattet werden konnte: dem Pflanzenzeichner György Jankovics und den auf der Seite 2 aufgeführten Pflanzenfotografen, insbesondere Kurt Paffrath, Burkard Kahl und Hans Reinhard. Besonderer Dank für fachliche Beratung und Durchsicht des Manuskripts gilt den Herren Konrad Helbig, Gera/Thüringen, und Peter Stadelmann, Nürnberg.

4

Wasserpflanzen und ihr Lebenselement

Warum Pflanzen im Aquarium wichtig sind

Ein schön bepflanztes Aquarium ist ein faszinierender Blickfang. Doch die Pflanzen im Aquarium sind nicht nur Dekoration, sondern sie erfüllen lebenswichtige Aufgaben: Sie produzieren Sauerstoff, nehmen das von den Fischen ausgeschiedene Kohlendioxid auf und helfen bei der Aufarbeitung von Abfallstoffen. Durch diese Fähigkeiten tragen die Pflanzen entscheidend dazu bei, ein stabiles und damit für Fische günstiges Aquarienmilieu zu schaffen.

Mit Hilfe der grünen Blattfarbstoffe, der Chlorophylle, können die Pflanzen das Sonnenlicht als Energiequelle nutzen. Aus Wasser und Kohlendioxid stellen sie in den grünen Pflanzenteilen die Kohlenhydrate her, aus denen sie sich selbst aufbauen: zunächst Zucker und daraus Stärke und Cellulose. Bei diesem Vorgang, den man als Photosynthese bezeichnet, wird Sauerstoff freigesetzt, gewissermaßen als Abfallprodukt dieser »Assimilation«.

Da der Sauerstoff, den wir atmen, von den grünen (chlorophyllhaltigen) Pflanzen, also den Algen, Moosen, Farnen und Blütenpflanzen, produziert wird, können weder Tiere noch Menschen ohne Pflanzen leben. Erst nachdem sich vor etwa zweieinhalb oder drei Milliarden Jahren die ersten einzelligen Algen mit Chlorophyll entwickelt hatten, konnte auch die Entwicklung der tierlichen Lebewesen beginnen. Vorher gab es nur Mikroorganismen und Bakterien, die mit dem wenigen Sauerstoff der Uratmosphäre auskamen oder ganz ohne leben konnten. Nach und nach paßten sich dann die Pflanzen (und später auch die Tiere) durch vielfältige Abwandlungen ihrer Körper und Organe den Lebensbedingungen außerhalb des Wassers an und besiedelten das Festland.

Pflanzen assimilieren nicht nur und erzeugen dabei Sauerstoff, sondern sie atmen auch. Ebenso wie die Tiere atmen sie Sauerstoff ein und Kohlendioxid aus. Die Photosynthese findet nur bei Tag beziehungsweise bei ausreichender Beleuchtung der Pflanzen statt. Sie können also nur assimilieren und Sauerstoff erzeugen, wenn sie genügend Licht haben. Die Atmung dagegen läuft bei Tag und Nacht gleichartig ab. In der Nacht oder bei schlechter Beleuchtung werden Aquarienpflanzen in überbesetzten Becken zu Konkurrenten der Fische.

Pflanzen produzieren aber nicht nur Sauerstoff, sie können noch mehr:

• Sie reinigen im Aquarium das Wasser von Abfallstoffen, die durch die Ausscheidungen der Fische und die Fütterung ins Wasser kommen. Die stickstoffhaltigen Substanzen, die dabei entstehen, werden von den Pflanzen abgebaut und als Dünger aufgenommen.

• Viele Pflanzen enthalten bakterientötende Stoffe, mit denen sie auch bakteriell verseuchtes Wasser für Fische wieder bewohnbar machen können.

• Gesunde Pflanzen geben ein wenig Sauerstoff in die Umgebung ihrer Wurzeln ab, so daß der Bodengrund dort nicht fault.

• Auf den Pflanzen siedeln sich Bakterien und kleinere Algen an, die ebenfalls das Wasser reinigen können.

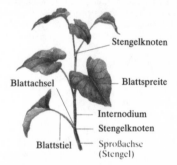

Die wichtigsten Teile einer Stengelpflanze (Pflanze mit gestreckter Sproßachse).

Der Bau der Pflanzen

Die größte und höchstentwickelte Gruppe der Aquarienpflanzen sind die Blütenpflanzen. Sie haben Wurzeln, Stengel, Blätter und Blüten, sie pflanzen sich durch Samen fort, und sie besitzen komplizierte Leitungs- und Festigungssysteme aus hochdifferenzierten Zelltypen. Moose, Farne und vor allem Algen sind wesentlich einfacher gebaut.

Die Blütenpflanzen

Der oberirdische Sproß der Blütenpflanzen besteht aus der Sproßachse, den Blättern und den Blüten.

Sproßachse nennt der Botaniker die Hauptachse jeder Pflanze, gleichgültig, ob es sich um den zarten Stengel einer Limnophila-Art oder um den Stamm eines Mammutbaums *(Metasequoia gigantea)* handelt. Die Spitze der Sproßachse ist die

| wechsel-
ständig | kreuzgegen-
ständig | quirl-
ständig | grundständige
Blattrosette |

Blattanordnung bei Stengelpflanzen: wechselständig, kreuzgegenständig und quirlständig. Bei Rosettenpflanzen (Pflanzen mit gestauchter Sproßachse) bilden die Blätter eine grundständige Blattrosette (ganz rechts).

Wachstumszone der Pflanze, sie wird Vegetationsspitze oder Vegetationskegel genannt. Sproßachsen können gestreckt wachsen, sie können aber auch gestaucht sein:

Stengelpflanzen haben eine gestreckte Sproßachse, an denen die Blätter in so großen Abständen stehen, daß man den Stengel dazwischen noch sehen kann.

Rosettenpflanzen besitzen eine gestauchte Sproßachse. Man sieht den Stengel nicht, die Blätter stehen so dicht nebeneinander, daß sie eine grundständige Blattrosette bilden.

Die Blätter entstehen an der Sproßachse. Sie gliedern sich in Blattspreite (den Teil, den wir als »Blatt« bezeichnen) und den Blattstiel. Die Stellen, an denen die Blätter entstehen, sind bei Pflanzen mit gestreckter Sproßachse oft verdickt. Man nennt sie daher Knoten (lateinisch: Nodi). Die blattlosen Teile dazwischen bezeichnet man als Internodien. Aus den Blattachseln (→ Zeichnung

Seite 5) entwickeln sich die Seitenzweige der Sproßachse.

Die Blätter können in verschiedener Weise an der Sproßachse angeordnet sein: quirlig, gegenständig, kreuzgegenständig, wechselständig.

Auf der Oberseite der Blattspreiten (und auch auf grünen Blattstielen und grünen Stengeln) befindet sich das chlorophyllhaltige Assimilationsgewebe, in dem die Photosynthese stattfindet. An der Unterseite der Blätter liegen die Spaltöffnungen, die die Pflanze aktiv erweitern oder verengen kann. Durch diese Öffnungen erfolgt der Gasaustausch mit der Umgebung: Aufnahme und Abgabe von Sauerstoff (O_2) und Kohlendioxid (CO_2), Abgabe von Wasserdampf.

Die Wurzel verankert die Pflanze im Boden und nimmt Nährstoffe aus dem Bodengrund auf.

Speicherorgane: Die bei der Photosynthese entstehenden Zucker werden meist schon in den Blättern zu Stärke umgewandelt. Teilweise wird diese in den Blättern, teilweise in der Sproßachse oder in gesonderten Speicherorganen abgelagert. Speicherorgane bei Wasserpflanzen sind meist verdickte unterirdische Sproßachsenteile, Rhizome genannt (zum Beispiel bei Echinodorus und Cryptocorynen), oder aus der Sproßachse entstehende Knollen (wie bei der Gattung Aponogeton) oder Zwiebeln (bei der Gattung Crinum).

Anpassung an das Wasserleben

Wasserpflanzen besitzen ein sehr stark entwickeltes Luftgefäßsystem, das die ganze Pflanze von den Blättern bis in die äußersten Wurzelspitzen durchzieht. Dadurch erhält sie im Wasser Auftrieb. Da das Wasser die Pflanze trägt, besitzen ihre Stengel und Blätter weit weniger Festigungsgewebe als die Landpflanzen. Nimmt man eine Wasserpflanze aus dem Aquarium heraus, sinkt sie mehr oder weniger in sich zusammen.

Das Assimilationsgewebe der Wasserpflanzen gleicht dem der Landpflanzen. Wasserpflanzen besitzen aber nicht die Schutzschichten über ihrer Außenhaut (Kutikula), die bei Landpflanzen das Austrocknen verhindern. Ihre Blätter sind so dünn und zart, daß sie Gase und Nährstoffe direkt über die Blattoberfläche (und Stengeloberfläche) aus dem Wasser aufnehmen können.

Wasserpflanzen und ihr Lebenselement

Anpassung an den natürlichen Standort

Nicht alle Wasserpflanzen leben ganzjährig unter Wasser (submers), viele wachsen in Sumpfgebieten oder in Flüssen mit jahreszeitlich schwankendem Wasserstand. Jedes Jahr stehen sie einige Monate lang außerhalb des Wassers (emers) oder ragen wenigstens über den Wasserspiegel hinaus. Während dieser Zeit treiben sie harte, feste Überwasserblätter (die im Bau denen von Landpflanzen gleichen), und sie nehmen Wasser und Nährstoffe allein über die Wurzeln auf. Viele dieser Sumpfpflanzen tun das auch im Aquarium, auch wenn man sie dort ganzjährig submers hält. Sie stehen daher am besten in vorgedüngtem Bodengrund (→ Seite 28).

Sumpfpflanzen erkennt man daran, daß auch ihre submersen Blätter relativ grob aussehen und nicht gefiedert sind. Typische Beispiele dafür sind die Echinodorus-Arten (Amazonasschwertpflanzen), die Cryptocorynen (Wasserkelch) und die meisten Hygrophila-Arten (Wasserfreund).

Ganzjährig submerse Pflanzen sind Egeria- und Elodea-Arten (Wasserpest) und die Myriophyllum- und Ceratophyllum-Arten (Tausendblatt, Hornkraut).

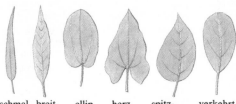

schmal- breit- ellip- herz- spitz- verkehrt-
lanzett- lanzett- tisch förmig eiförmig eiförmig
lich lich

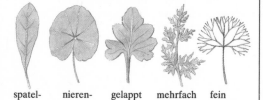

spatel- nieren- gelappt mehrfach fein
förmig förmig gefiedert gefiedert

Verschiedene Blattformen – wichtig für das Kennenlernen der Aquarienpflanzen.

Die Bedürfnisse der Aquarienpflanzen

Damit die Pflanzen im Aquarium biologisch leistungsfähig bleiben, Sauerstoff produzieren, Abfallstoffe aufnehmen und ihre übrigen wasserreinigenden Eigenschaften entwickeln, müssen sie möglichst optimal mit allem versorgt werden, was sie zum Leben brauchen.

Neben den Ansprüchen an Licht und Wärme, die mit Hilfe der Aquarientechnik erfüllt werden (→ Seite 14), muß ihr Lebenselement, das Wasser, auf ihre Bedürfnisse abgestimmt sein.

Der Sauerstoff (O_2)

Tiere und Pflanzen atmen Sauerstoff (O_2) ein und Kohlendioxid (CO_2) aus. Sauerstoff ist das wichtigste Lebensmittel für alle Organismen. Der im Wasser gelöste Sauerstoff stammt nur zum Teil aus der Luft, zum Teil wird er von den Pflanzen bei der Photosynthese produziert und ins Wasser abgegeben. Je kühler das Wasser ist, desto mehr Sauerstoff enthält es. Der Luftsauerstoff löst sich im Wasser umso besser, je stärker die Wasseroberfläche bewegt ist. Reißende Bäche sind daher sauerstoffreicher als stehende Gewässer.

Im Aquarium belasten die Ausscheidungen der Fische und die Reste des Fischfutters das Wasser sehr stark mit Stickstoff- und Phosphorverbindungen (→ Seite 12). Diese und viele andere Abfallstoffe müssen von den Bakterien, die sich im Boden und im Filter ansiedeln, abgebaut und in unschädliche Verbindungen umgewandelt werden. Dazu brauchen die Bakterien ausreichend Sauerstoff. Bei Sauerstoffmangel arbeitet der Filter nämlich ungenügend oder zu langsam! Sauerstoffmangel schadet den Fischen und den Pflanzen (→ Ernährungsstörungen, Seite 46).

Pflegemaßnahmen: Der Aquarianer muß versuchen, einen möglichst hohen O_2-Gehalt in seinem Aquarium zu erzielen. Das ist nur möglich in gut bepflanzten, mit Fischen nicht überbesetzten Becken, in denen die Pflanzen optimal mit Licht, Wärme und Nährstoffen versorgt werden. In solchen Becken kann der O_2-Gehalt im Laufe des Tages über die Sättigungsgrenze von 100% ansteigen, selbst wenn er morgens nur bei 40 bis 50% gelegen hat. Nachts zehren ja alle Organismen im

Aquarium – Fische, Pflanzen, Bakterien – vom Sauerstoffvorrat im Wasser.

O_2-Gehalt prüfen: Im Zoofachhandel erhalten Sie Sauerstoff-Testsets, mit denen Sie den O_2-Gehalt Ihres Aquarienwassers selbst messen können.

Pflegefehler vermeiden: Folgende Störungen im Aquarienklima können bewirken, daß tagsüber keine 100%ige Sauerstoffsättigung des Wassers erreicht wird:

• Zu wenig Pflanzen beziehungsweise Pflanzen, die aufgrund irgendwelcher Mangelerscheinungen keine Photosynthese leisten.

• Zu viele Fische, daher verschmutztes Wasser.

• Verschmutztes Wasser durch Futterreste, zerfallende Pflanzen oder anderes organisches Material, das sich zersetzt.

• Durch falsche Kieskörnung oder durch Mulm verdichteter Bodengrund.

• Vernachlässigter und verschmutzter Filter.

Hinweis: Um die Nährstoffversorgung der Pflanzen zu gewährleisten, sind Langzeitdünger im Bodengrund, Flüssigdüngung nach jedem Wasserwechsel (→ Düngung, Seite 28) und die möglichst tägliche Zugabe von Spurenelementen (→ Seite 13) sehr wichtig.

Das Kohlendioxid (CO_2)

Kohlendioxid (CO_2) ist der wichtigste Pflanzennährstoff. Bei CO_2-Mangel können die Pflanzen nicht assimilieren und daher auch keinen Sauerstoff bilden. CO_2-Mangel bewirkt also einen Sauerstoffmangel im Aquarium mit negativen Folgen für Fische und Filterbakterien; fast alle Pflanzen wachsen schlecht, auch wenn sie gut gedüngt und beleuchtet werden.

Pflegemaßnahmen: Es empfiehlt sich, die Pflanzen mit Kohlendioxid zu düngen. In den letzten Jahren wurden für Aquarien verschiedene Methoden zur Kohlendioxid-Versorgung entwickelt. Am günstigsten sind die CO_2-Düngegeräte, bei denen aus einer Druckflasche ständig ein klein wenig CO_2 ins Aquarium entweicht (CO_2-Diffusor). Die Abgabemenge wird durch ein elektronisches Meß- und Steuergerät konstant gehalten. Bei Nacht atmen die Pflanzen nur und assimilieren nicht, sie brauchen daher nicht noch zusätzliches CO_2. Man sollte deshalb das Düngegerät an die Schaltuhr anschließen, die auch die Lampen steuert. Sie schaltet den CO_2-Diffusor ab, sobald das Licht ausgeht. Aber auch mit einfachen Geräten – wie Diffusionsglocken mit Sprühflaschen – können Sie Ihre Pflanzen zu zufriedenstellendem Wachstum anregen.

CO_2-Gehalt kontrollieren: Zur Kontrolle des CO_2-Gehalts und der Funktion der Düngeanlage gibt es im Zoofachhandel außer den Tropfindikatoren auch kleine Testgeräte, sogenannte CO_2-Dauertests. Diese Geräte werden mit Indikatorflüssigkeit gefüllt, die auf die pH-Änderungen des Wassers (→ Seite 12) reagiert, wenn diese durch Zufuhr von oder Mangel an Kohlendioxid verursacht wurden. Änderungen des pH-Werts aus anderen Gründen zeigen die Geräte nicht an. Man kann also jederzeit mit einem Blick auf die Farbskala erkennen, ob das Becken noch optimal mit CO_2 versorgt ist.

Pflegefehler vermeiden: CO_2 läßt sich durch starke Wasserbewegung leicht austreiben. Stark bewegtes, eventuell sogar durch Ausströmersteine belüftetes Wasser bietet den Pflanzen keine guten Lebensbedingungen, weil ihr wichtigster Nährstoff entweicht. Für Fische dagegen ist das bewegte Wasser günstig, denn sie müssen das CO_2, das sie ausatmen, ja irgendwie loswerden, damit sie wieder einatmen können. In mit CO_2 übersättigtem Wasser müßten sie ersticken. Diese unterschiedlichen Bedürfnisse der Tiere und Pflanzen müssen Sie berücksichtigen, wenn Sie die Bepflanzung und die Besetzung Ihres Aquariums zusammenstellen und das Filterzubehör aussuchen.

Die Wasserhärte

Daß Aquarienwasser »hart« oder »weich« sein kann, ist heute meist schon den Aquarien-Neulingen bekannt. Härtebildner sind in erster Linie die Calcium- und Magnesium-Salze. Calcium und Magnesium sind Erdalkalimetalle. Wasser, das viele dieser Mineralsalze enthält, nennt man hart; Was-

Herzblättriger Wasserwegerich (*Echinodorus cordifolius*) als Solitärpflanze in einem Aquarium mit Neonfischen (*Paracheirodon innesi*).   ▷

ser, das wenig davon enthält, nennt man weich. In der Aquaristik gibt man die Wasserhärte (Gesamthärte) in Härtegraden an (1° dH entspricht 10 mg Calcium- oder Magnesiumoxid in 1 l Wasser). Die moderne Wasserchemie verwendet den Begriff »Summe der Erdalkalien« und mißt in mol/m³. Folgende pauschale Bezeichnungen haben sich eingebürgert:

0 bis 4° dH = sehr weiches Wasser
5 bis 8° dH = weiches Wasser
9 bis 12° dH = mittelhartes Wasser
13 bis 20° dH = hartes Wasser
von 20°dH aufwärts = sehr hartes Wasser

Pflegemaßnahmen: Für die Pflege der meisten Pflanzen und Fische hat sich eine Wasserhärte von 8 bis 16° dH am besten bewährt. (Unser Leitungswasser hat in der Regel 8 bis 17° dH.) Nur wenige Tropenpflanzen brauchen weicheres Wasser, zum Beispiel *Aponogeton rigidifolius*. Für sie – und zur Zucht vieler Tropenfische – muß das Wasser mit einem Ionenaustauscher enthärtet werden. Den Härtegrad Ihres Leitungswassers erfahren Sie von Ihrem Wasserwerk. Falls Sie ihn selbst messen wollen, bekommen Sie im Zoofachhandel Indikatorflüssigkeiten und Meßgeräte.

Enthärten und Aufhärten: Falls Sie nicht nur Fische und Pflanzen halten wollen, die an die Werte Ihres Leitungswassers angepaßt sind, müssen Sie das Wasser aufhärten oder enthärten. Über die genauen Methoden der Enthärtung und Aufhärtung sowie über die Ionenaustauscher informieren Sie sich dann am besten im Zoofachhandel oder in Büchern über Aquarienchemie.

◁ Attraktive Wasserpflanzen.
Oben links: Herzblättriger Wasserkelch (*Cryptocoryne cordata*); oben Mitte: Rundblättrige Rotala (*Rotala rotundifolia*); oben rechts: Schraubenvallisnerie (*Vallisneria asiatica var. biwaensis*).
Mitte links: Großes Fettblatt (*Bacopa caroliniana*); Mitte Mitte: Krause Wasserähre (*Aponogeton crispus*); Mitte rechts: Kardinalslobelie (*Lobelia cardinalis*).
Unten links: Haertel's Wasserkelch (*Cryptocoryne affinis*); unten Mitte: Afrikanische Kognakpflanze (*Ammannia senegalensis*); unten rechts: Rote Ludwigie (*Ludwigia palustris*).

Die Karbonathärte

Für die Pflanzen ist nicht nur die Summe der Erdalkalien (Gesamthärte) wichtig, sondern auch die Verbindungen, die Calcium und Magnesium mit der Kohlensäure eingehen. Diese spielen im Nährstoffhaushalt der Pflanzen eine wichtige Rolle. Kohlensäure entsteht, wenn sich CO_2 im Wasser löst. Das meiste davon bleibt als freies CO_2 in Lösung, nur eine winzige Menge (0,7%) verbindet sich mit dem Wasser zu Kohlensäure. Die Calcium- und Magnesiumsalze der Kohlensäure liefern die Karbonathärte. Da die Karbonathärte beim Kochen verschwindet, weil die Salze zerstört werden, ausfallen und dann nicht mehr meßbar sind, bezeichnete man die Karbonathärte früher auch als »temporäre« Härte. Die nach dem Kochen verbleibende »permanente« Härte des Wassers, die durch Calcium- und Magnesiumsulfat und andere Verbindungen hervorgerufen wird, bezeichnet man in der Aquaristik als Nichtkarbonathärte. Die Gesamthärte des Aquarienwassers (Summe der Erdalkalien) ist also die Summe aus Karbonathärte und Nichtkarbonathärte.

Pflegemaßnahmen: Die Karbonathärte ist für die Pflanzenpflege sehr wichtig (→ Seite 12), sie wird gesondert gemessen, Meßreagenzien mit genauer Gebrauchsanweisung sind im Zoofachhandel erhältlich. Hohe Karbonathärte läßt sich mit Hilfe von Ionenaustauschern, Torffilterung oder CO_2-Düngung senken. Bei starken Schwankungen der Karbonathärte (biogene Entkalkung, → Seite 12) CO_2-Düngegerät einsetzen.

Der pH-Wert

Der pH-Wert gibt den Säuregrad des Wassers an. In jedem natürlichen Wasser ist eine gewisse Menge von sauer und alkalisch reagierenden Substanzen gelöst. Enthält Wasser mehr Säuren als Laugen, ist es sauer, enthält es mehr Laugen als Säuren, ist es alkalisch. Befinden sich Säuren und Laugen im Gleichgewicht, ist das Wasser chemisch neutral.

Die pH-Skala reicht von 1 bis 14. Neutrales Wasser hat den pH-Wert von 7. Wasser mit einem pH-Wert unter 7 ist sauer, Wasser mit einem pH-Wert über 7 ist alkalisch. Es ist umso saurer beziehungsweise alkalischer, je weiter der pH-Wert von 7 abweicht. Die meisten Tropengewässer sind leicht sauer, tropische Pflanzen und Fische vertragen daher gut pH-Werte von etwa 5,8 bis 7,0.

Pflegemaßnahmen: Vielerorts hat das Leitungswasser pH-Werte von 6,5 bis 7,2. Bei diesen Werten lassen sich die meisten Aquarienpflanzen problemlos halten. Messen Sie den pH-Wert regelmäßig (etwa alle 14 Tage) mit einem Tropfindikator oder einem pH-Meßgerät (Zoofachhandel). Bei stärkeren Schwankungen des pH-Wertes (→ biogene Entkalkung, unten) CO_2-Düngung oder Teilwasserwechsel vornehmen. Zum Ansäuern des Wasser kann man Torfpräparate verwenden, wenn Fische aus dunklen Gewässern im Aquarium leben, oder wenn man keine sehr lichtbedürftigen Pflanzen pflegt.

Die Karbonathärte, der pH-Wert und die Pflanzen

Die Karbonathärte ist im Aquarium durch die Assimilationstätigkeit der Pflanzen oft starken Schwankungen unterworfen. Dadurch wird die Höhe des pH-Wertes beeinflußt. Zur Erklärung dieses Vorgangs muß man wissen, daß die Härtebildner Calcium und Magnesium zwei verschiedene Verbindungen mit der Kohlensäure eingehen: Sie bilden Bikarbonate, auch Hydrogenkarbonate genannt, und Karbonate. Bikarbonate sind leichtlösliche Verbindungen, Karbonate sind im Wasser fast unlöslich. Je härter ein natürliches Wasser ist, desto mehr CO_2 ist in Bikarbonaten und Karbonaten gebunden und desto alkalischer ist es. Weiches Wasser ist in der Natur leicht sauer, weil es nur wenig Härtebildner enthält, die das CO_2 binden können.

Die biogene Entkalkung: Pflanzen, die aus Gegenden mit mehr oder weniger weichem, leicht saurem Wasser stammen, finden in der Natur viel freies CO_2 im Wasser vor und verbrauchen nur dieses bei der Photosynthese. Pflanzen aus Gegenden mit härterem Wasser, wie die meisten einheimischen und nordamerikanischen Arten, aber auch viele Tropenpflanzen, haben im Lauf von Jahrmillionen die Fähigkeit entwickelt, Bikarbonate zu spalten und das CO_2 für ihre Ernährung daraus zu gewinnen. Wenn den Bikarbonaten das CO_2 entzogen worden ist, bleiben Karbonate übrig, die sich auf den Pflanzenblättern als rauher Belag niederschlagen (Kesselstein). Der pH-Wert

des Wassers steigt bei dieser biogenen Entkalkung an und die Fische bekommen Laugenschäden. Manche Pflanzen, zum Beispiel die Wasserpest, können auch noch die Karbonate aufschließen, sie gewinnen auch daraus CO_2. Das läßt den pH-Wert noch weiter ansteigen, bis in den für Fische tödlichen Bereich. Bei Nacht, wenn keine Photosynthese stattfindet, kehrt sich der Vorgang wieder um, die Karbonate verbinden sich wieder mit CO_2 zu Bikarbonaten und der pH-Wert sinkt wieder in den Normalbereich ab. Gefährlich wird dieser Vorgang hauptsächlich in Aquarien, die ausschließlich mit Wasserpest, Vallisnerien und Sagittarien bepflanzt sind, da diese Pflanzen das Wasser am schnellsten entkalken.

Pflegemaßnahmen: Die großen Schwankungen von Wasserhärte und pH-Wert innerhalb eines Tages bekommen den Pflanzen nicht, ganz abgesehen von der Gefahr für die Fische. Eine ausgewogene Mischbepflanzung und regelmäßige Eisendüngung verhindern folgenschwere Störungen. Zusätzlich sollten Sie mit CO_2 düngen, damit die Pflanzen aus weichem Wasser genug Nahrung bekommen und die Pflanzen aus härterem Wasser die Bikarbonate und Karbonate nicht anzugreifen brauchen.

Hinweis: Die Höhe der Karbonathärte ist für den Pflanzenwuchs weit wichtiger als die Höhe der Nichtkarbonathärte, daher ist in den Pflanzenbeschreibungen (→ Seite 49) nur die Karbonathärte angegeben.

Die Stickstoffverbindungen

Einer der wichtigsten Pflanzennährstoffe ist der Stickstoff. Die Wasserpflanzen nehmen ihn nicht als elementaren gasförmigen Stickstoff auf, auch nicht wie die Landpflanzen als Nitrat, sondern als Ammonium. Ammonium gibt es nur in saurem Wasser, es bildet sich aus Ammoniak, das durch die Ausscheidungen der Fische, Futterreste und anderes organisches Material ins Wasser gerät. Im normalerweise leicht sauren Milieu unserer Aquarien schadet Ammonium den Fischen kaum, in alkalischem Wasser jedoch verwandelt es sich wieder in das giftige Ammoniak.

Ammonium beziehungsweise Ammoniak wird durch die Filterbakterien (→ Seite 7) über das hochgiftige Nitrit zum relativ ungefährlichen Nitrat abgebaut, dabei wird Sauerstoff verbraucht. Wenn es den Pflanzen schlecht geht, zum Beispiel in einem übersetzten Becken mit vernachlässigtem Filter, können sie nicht assimilieren und keinen Sauerstoff bilden. Der Abbau der Stickstoffverbindungen dauert dann zu lange oder funktioniert überhaupt nicht. Die Folge: Die Fische können an Ammoniak- oder Nitritvergiftung zugrunde gehen.

Pflegemaßnahmen: Sorgfältige Filterpflege und regelmäßiger Teilwasserwechsel. Außerdem regelmäßiges Nachdüngen, da in sauerstoffreichem Wasser den Pflanzen das Ammonium durch den Abbau zum Nitrat rasch entzogen wird. Die handelsüblichen Wasserpflanzendünger enthalten genug Ammonium, um die Pflanzen optimal zu ernähren und einen eventuellen Ammoniummangel rasch zu beheben. Schwieriger wird es bei einem Überschuß an Stickstoffabbauprodukten (→ Cryptocorynenfäule, Seite 47). Hier hilft in der Regel nur eine grundlegende Verbesserung des Aquarienmilieus.

Gemessen wird die Konzentration der verschiedenen Stickstoffverbindungen mit den handelsüblichen Testreagenzien.

Phosphor

Phosphor ist im Aquarium ein problematischer Pflanzennährstoff. Er wird nicht als reines Element, sondern als Phosphat aufgenommen. Phosphat spielt eine wichtige Rolle bei der Photosynthese. Phosphatmangel würde die Sauerstoffbildung behindern; im Aquarium kommt das jedoch nicht vor, die Pflanzen können auch geringe Spuren aufnehmen und verwerten. Durch die Futterreste entsteht aber leicht ein Phosphatüberschuß. Er führt zu Pflanzenschäden und – vor allem wenn Nitratüberschuß hinzukommt – zu starkem Algenwuchs.

Pflegemaßnahme: Durch regelmäßigen Teilwasserwechsel wenigstens einen Teil dieser Abfallstoffe entfernen.

Kalium, Natrium

Kalium und Natrium sind in unserem Leitungswasser kaum vorhanden. Für die Bedürfnisse der Tropenpflanzen reicht der Natriumgehalt meist aus, an Kalium dagegen herrscht in vielen Aquarien Mangel. Kaliummangel behindert die Photo-

synthese und schädigt deswegen das ganze Aquarienmilieu.

Pflegemaßnahme: Düngen. Gute Wasserpflanzendünger (Zoofachhandel) enthalten Kalium in ausreichenden Mengen.

Die Spurenelemente

Eisen ist das wichtigste Spurenelement für die Aquarienpflanzen. Es ist ein Bestandteil der Enzyme, die beim Aufbau des Chlorophylls helfen. Eisenmangel führt zur Chlorose (→ Seite 47). Viele Wasserpflanzen wachsen in der Natur an Stellen, an denen stark eisenhaltiges Grundwasser aus den Uferwänden oder aus dem Gewässerboden austritt. Es ist auch reich an anderen Spurenelementen (wie Mangan, Kupfer, Zink, Zinn, Bor, Molybdän). Die Pflanzen wachsen umso dichter und werden umso größer, je dichter sie an der Nährstoffquelle stehen. Diese Sickerwässer enthalten das Eisen und die anderen Spurenelemente in einer Form, die von den Pflanzen leicht aufgenommen werden kann. Wenn die Spurenelemente aber in das sauerstoffreiche Fließgewässer kommen, verbinden sie sich mit dem Sauerstoff und fallen aus, das heißt, sie werden unlöslich und sind für die Pflanzen nicht mehr verwertbar.

Pflegemaßnahmen: Düngen. Damit im Aquarium das Eisen und die anderen Spurenelemente nicht vom Sauerstoff ausgefällt werden, sind sie in den Wasserpflanzendüngern an sogenannte Chelatoren gebunden, das sind synthetische organische Säuren, die alle Spurenelemente über längere Zeit in der Form erhalten, in der sie für die Pflanzen verwertbar sind. Der eisenhaltige Langzeitdünger für den Bodengrund entspricht dem Boden der Tropengewässer an den Sickerquellen.

Viele Wasserpflanzendünger enthalten sowohl die Spurenelemente als auch die anderen Nährstoffe wie Ammonium und Kalium. Es gibt aber auch ein Präparat, das den gesamten Spurenelementkomplex allein enthält. Damit düngt man nicht nur nach jedem Wasserwechsel, sondern täglich mit ein paar Tropfen, um das Angebot an diesen wichtigen Nährstoffen immer konstant zu halten. Die Menge, die Sie für Ihr Aquarium brauchen, müssen Sie durch eine Eisenmessung ermitteln. Die Reagenzien zur Eisenmessung und den Spezialdünger erhalten Sie im Zoofachhandel.

Die Technik im Pflanzenaquarium

Warnung vor Stromunfällen

Elektrische Unfälle mit dem Aquarium passieren außerordentlich selten, man sollte dagegen aber alle möglichen Vorsichtsmaßnahmen treffen. Heizung: Achten Sie beim Kauf von Regelheizern, Thermofiltern, Heizkabeln und Heizmatten darauf, daß das ausgewählte Gerät mit dem VDE-beziehungsweise dem gültigen TÜV-Zeichen versehen ist. Regelheizer werden im Aquarium so angebracht, daß die Kappe mit der Einstellschraube über den Wasserspiegel hinausragt. Lampen: Aquarienlampen und die Aquarienabdeckungen, in denen Lampen eingebaut sind, haben feuchtraumsichere Fassungen und sind spritzwassergeschützt. Achten Sie auf das VDE-Zeichen. Filter: Installieren und betreiben Sie die Filter nach der Gebrauchsanweisung des Herstellers. Alle elektrischen und feuchtigkeitsempfindlichen Teile sind heute wasserdicht mit Kunstharz vergossen.

Sicherheitsratschläge

Die Anschaffung eines elektronischen Überwachungsgerätes ist dringend zu empfehlen. Es wird zwischen der Steckdose und dem Elektrogerät angeschlossen und unterbricht die Stromzufuhr, sobald im Gerät oder in der Leitung ein Schaden auftritt. Diese Überwachungsgeräte besitzen vier Stecker, so daß alle elektrischen Geräte eines Aquariums angeschlossen werden können. In gleicher Weise funktioniert ein FI-Schalter (Fehlerstrom-Schutzschalter), der vom Fachmann im Sicherungskasten installiert werden muß. Aquarien sollten nicht geerdet werden. Achten Sie darauf, daß alle elektrischen Geräte das VDE-Zeichen beziehungsweise das gültige TÜV-Zeichen tragen.

Die Beleuchtung

Licht ist die wichtigste Voraussetzung für ein gutes Wachstum der Pflanzen, denn sie brauchen es als Energiespender, um ihren Stoffwechsel aufrecht zu erhalten. Im natürlichen Tageslicht gedeihen die Tropenpflanzen bei uns nicht. Im Sommer ist es zu hell und zu warm, es bilden sich zuviele Algen. Im Winter ist das Licht zu schwach, die Pflanzen kümmern. Eine künstliche Beleuchtung ist also unbedingt nötig.

Beleuchtungsdauer: Den Tropenpflanzen bekommt es nicht, daß in unseren Breiten die Tageslänge im Laufe des Jahres zu- und abnimmt. Die meisten unserer Aquarienpflanzen stammen aus äquatornahen oder subtropischen Gebieten, in denen der Tag das ganze Jahr über zwischen 12 und 14 Stunden lang ist. Man muß deshalb dafür sorgen, daß der Aquarientag etwa so lang ist wie ein Tropentag. Man schließt die Aquarienlampen an eine Schaltuhr an, die das Licht selbsttätig ein- und ausschaltet, so daß das Aquarium 12 bis 14 Stunden beleuchtet wird.

Die Lichtstärke: Die Pflanzen haben sich in Jahrmillionen an die Lichtverhältnisse ihrer Heimat angepaßt, Tropenpflanzen sind also sehr lichthungrig.

Als Faustregel für die Beleuchtung von Aquarien läßt sich angeben: 0,4 bis 0,7 Watt/1 l Wasser, vereinfacht: etwa 1 W/2 l. Das trifft für Leuchtstoffröhren mit Tageslichtspektrum zu, Lumilux-Röhren, die zur Energieersparnis entwickelt wurden, haben eine etwa 30% höhere Lichtausbeute, und auch HQI- und HQL-Lampen sind viel heller. (Bei der Berechnung berücksichtigen.) Die Watt-Angaben in den Pflanzenbeschreibungen (→ Seite 49) beziehen sich auf normale Tageslichtröhren. Wichtig zu wissen ist außerdem, daß die Lichtmenge immer stärker abnimmt, je tiefer das Licht ins Wasser eindringt. Es wird umso stärker absorbiert, je stärker das Wasser gefärbt ist (am stärksten bei Torffilterung beziehungsweise Zusatz von Torfpräparaten). Man sollte also pro 10 cm Wasserstand die Lichtstärke jeweils verdoppeln, um in einem hohen Aquarium den gleichen Pflanzenwuchs zu erzielen wie in einem niedrigen. Da Aquarien aber selten so breit sind, daß man große Batterien von Leuchtstoffröhren darüber anbringen könnte, ist man bei tiefen Becken auf die Installation von HQI- oder HQL-Lampen (→ Seite 15) angewiesen.

Die Lichtfarbe: Das Chlorophyll wird von rotem und violettem Licht am stärksten aktiviert. Das langwellige Licht des roten Spektralbereichs fördert das Längenwachstum der Pflanzen, das kurzwellige des blauen den gedrungenen, kräftigen Wuchs. Für das menschliche Auge erscheinen Fische und Pflanzen am natürlichsten, wenn sie von einem Licht beleuchtet werden, das ungefähr dem normalen Tageslicht entspricht. Die Aquarienbeleuchtung wird so ausgewählt, daß die Pflanzen alle Lichtfarben in der richtigen Zusammensetzung sowie in der richtigen Lichtstärke erhalten.

Leuchtstoffröhren

Leuchtstoffröhren sind wirtschaftlicher als alle anderen Lampentypen. Man braucht meist mehrere Röhren in verschiedenen Lichtfarben.

Von den vielen verschiedenen Leuchtstoffröhrentypen eignen sich am besten die OSRAM Lumilux-Tageslichtröhren Nr. 11 und Nr. 21, Lumilux Nr. 41, deren Spektrum dem der HQI- und HQL-Lampen ähnelt, aber einen etwas violetten Farbton hat, die Dulux-Strahler und die Grolux- und Fluora-Röhren. Die beiden letzten geben violettes Licht ab, man benutzt sie nur gemeinsam mit Tageslichtröhren, da sie sonst die Pflanzen zu sehr starkem Längenwachstum anregen. Außerdem lassen sie Fische und Pflanzen in unnatürlichen Farben erscheinen. Für kleine Aquarien, über denen ein großer Leuchtkasten mit vielen verschiedenen Röhren kein Platz hat, genügen Lumilux Nr. 41 oder Tageslichtröhren allein. Leuchtstoffröhren sind die beste Beleuchtung für flache, breite Aquarien, vor allem für solche mit Deckscheibe. Sie können relativ dicht über dem Aquarium aufgehängt werden und leuchten das ganze Becken gleichmäßig aus.

Anbringen von Leuchtstoffröhren: Leuchtstoffröhren erhält man in fertigen Aquarienabdeckungen, in Lampenkästen, die man auf das Aquarium legt, oder als Hängelampen. Für den Aquarianer sind Hängelampen am bequemsten. Die Aufhängungseinrichtungen lassen sich verkürzen und man hat so genug Platz, im beleuchteten Aquarium zu arbeiten.

Auswechseln der Röhren: Leuchtstoffröhren vermindern langsam, aber stetig ihre Leistung. Bei einem Normalbetrieb von 12 bis 14 Stunden am Tag haben sie nach sechs Monaten nur noch 50% ihrer Leuchtkraft. Über einem Aquarium, in dem die Pflanzen besonders gut gedeihen sollen und in dem viele Cryptocorynen stehen, die sehr gleichmäßige Umweltbedingungen brauchen, müssen die Röhren daher nach etwa 6 Monaten ausgewechselt werden. Vor allem gilt das für die violetten Grolux- und Fluora-Röhren. Zu spätes Auswechseln der Leuchtstoffröhren schadet den Pflanzen.

Hinweis: Ein hoher Nitratgehalt erhöht das Lichtbedürfnis der Pflanzen. In sauberem Wasser gedeihen sie auch bei weniger Licht, in stark nitratbelastetem stagniert der Pflanzenwuchs trotz eines optimalen Lichtangebots.

Quecksilberdampf-Hochdrucklampen (HQL-Lampen)

Quecksilberdampf-Hochdrucklampen (HQL-Lampen) sind für eine Wassertiefe bis etwa 60 cm zu empfehlen, vor allem für Becken ohne Deckscheibe. Sie wirken wie Punktstrahler, man kann sie daher direkt über besonders lichthungrigen Pflanzen aufhängen. Vordergrundpflanzen wie *Echinodorus tenellus, Echinodorus bolivianus, Lilaeopsis novae-zelandiae* und andere kleine Sumpfgewächse, die in der Natur in voller Sonne gedeihen, bekommen im Aquarium oft zuwenig Licht. Sie stehen an den tiefsten Stellen des Beckens und haben die ganze lichtabsorbierende Wassersäule über sich. HQL-Lampen ermöglichen es, solchen lichtbedürftigen Gewächsen ganz gezielt zu helfen, während ringsherum weniger lichtbedürftige und in einiger Entfernung vom Lichtkegel sogar schattenverträgliche Arten angepflanzt werden können.

Halogen-Metalldampflampen (HQI-Lampen)

Halogen-Metalldampflampen (HQI-Lampen) sind wirtschaftlicher als Quecksilberdampf-Hochdrucklampen. Sie haben eine fast doppelt so hohe Lichtausbeute. Leider sind sie in der Anschaffung sehr teuer und heizen aufgrund ihrer hohen Wärmeabstrahlung das Aquarienwasser stark auf, wenn sie allzu dicht darüberhängen. Wie die HQL-Lampen eignen sie sich zur gezielten Beleuchtung besonders lichtbedürftiger Pflanzengruppen. Sie leuchten auch Aquarien von über 1 m Höhe noch optimal aus. Da ihr Lichtspektrum fast dem des Tageslichts entspricht, werden alle Bedürfnisse der Pflanzen erfüllt und die Farben der Fische und Pflanzen erscheinen natürlich. Ihre volle Leuchtstärke erreichen sie – ebenso wie HQL-Lampen – nur langsam, im Verlauf der ersten 5 Minuten nach dem Anschalten. Für schreckhafte Fische ist das angenehm.

Die Heizung

Die Tropenpflanzen gedeihen im Temperaturbereich von 21 bis 30 °C, am besten wachsen sie bei etwa 23 bis 27 °C. Pflanzen aus subtropischen Gebieten vertragen auch kühleres Wasser, am anpassungsfähigsten sind die Kosmopoliten wie das Teichlebermoos *(Riccia fluitans),* es verträgt Temperaturen von 12 bis über 30 °C.
Die Pflanzen und vor allem die Fische vertragen kurzfristige Temperaturschwankungen nicht. Die Leistung jeder Aquarienheizung muß also durch einen Thermostaten überwacht und geregelt werden. Ein Aquarienthermostat hält die eingestellte Temperatur auf plus/minus 1 °C konstant.

Regelheizer und Thermofilter
Ein Regelheizer ist die preiswerteste Aquarienheizung; es ist ein Stabheizer, in den der Thermostat bereits eingebaut ist. Man bringt ihn im Aquarium

Wirkungsweise einer Bodenheizung: Erwärmtes Wasser dringt durch die Düngerschicht und den Kies nach oben und führt dabei Nährstoffe an die Wurzeln heran. Kühleres Wasser aus dem Aquarienraum wird in den Boden nachgesogen. So entsteht eine optimale Wasserzirkulation. (1 = Thermostat, 2 = Kies, 3 = Langzeitdünger, 4 = Heizmatte, 5 = Isolierschicht.)

aufrechtstehend an, so daß sich die Kappe mit der Einstellschraube oberhalb des Wasserspiegels befindet.
Ein Thermofilter ist praktisch und einfach zu handhaben. Es handelt sich um einen Filter mit einem eingebauten Heizaggregat, das ebenfalls durch einen Thermostaten geregelt wird. Das Wasser wird also während des Filtervorgangs erwärmt.

Bodenheizung
Sie können Ihr Becken auch mit einer Bodenheizung ausstatten, die den Kiesboden um 1 bis 2 °C über die Wassertemperatur erwärmt und ihn dadurch in den allgemeinen Wasserkreislauf einbezieht. Da das erwärmte Wasser nach oben steigt und dadurch kälteres aus dem Aquarienraum nachgesogen wird, werden ständig Nährstoffe und Frischwasser an die Pflanzenwurzeln herangeführt. Der Boden kann nicht faulen und Bakterien, die im Bodengrund leben, können zusätzlich zu den Filterbakterien Schadstoffe abbauen. In der Natur ist der Gewässerboden zwar meist etwas kälter als das Wasser, aber mit der Durchströmung ahmt man die Strömungsverhältnisse an den Sickerquellen nach (→ Spurenelemente, Seite 13), an denen die Pflanzen am besten wachsen. Man verhütet damit auch, daß sie »kalte Füße« bekommen, falls das Becken an einer ungünstigen Stelle oder in einem wenig oder gar nicht geheizten Zimmer aufgestellt ist.
Das Heizkabel wird in Windungen auf dem Beckenboden verlegt und auf Plastikschienen oder -füßen befestigt, damit es nicht auf dem Glas aufliegt. Sehr gut verwenden kann man Heizkabel auch in den Behältern, in denen Pflanzen zur Vermehrung emers gehalten werden. Besonders wärmebedürftige Pflanzen können in Pflanzschalen oder -töpfchen gesetzt und mit dem Heizkabel umwickelt werden.
Die Heizmatte wird außen unter dem Aquarienboden angebracht und gegen die Unterlage mit geeignetem Material isoliert.
Bei der Verwendung einer Heizmatte darf der Bodengrund weder zu feinkörnig noch verschlammt sein! Undurchlässiger Boden wird nicht schnell genug durchströmt, es kommt zum Wärmestau und der Beckenboden kann reißen. Auch

bei einer zu starken oder nicht vorschriftsmäßig installierten Matte können Spannungen im Glas auftreten.

Pflegehinweis: Da der Boden durch die ständige Durchströmung ähnlich wie ein Filter wirkt, verschmutzt und verstopft er auch nach einiger Zeit wie jeder andere Filter. Man muß ihn also etwa einmal jährlich säubern, denn je mehr der Boden verschlammt, desto schlechter wird er durchströmt und desto wärmer wird er (bei der Verwendung von Heizmatten vor allem unter Steinen und anderem großflächigen Dekorationsmaterial). Die Pflanzenwurzeln werden geschädigt und die Filterbakterien gehen zugrunde.

Es empfiehlt sich, nicht das ganze Becken mit einer starken Heizmatte zu heizen, sondern eine schwache Kabelheizung über einen Zweikreisthermostaten zu regeln, der an kühlen Tagen einen Regelheizer zuschaltet. Das bekommt den Pflanzen besser und zögert die Neueinrichtung des Beckens noch einige Zeit hinaus.

Stärke der Heizung

In ungeheizten Räumen beziehungsweise in Zimmern, in denen im Winter zeitweise nicht oder wenig geheizt wird, sollte die gesamte Aquarienheizung eine Leistung von 1 Watt pro Liter Wasser erbringen. Wenn das Becken in einem normal geheizten Zimmer mit 20 bis 23 °C steht, genügt eine Leistung von 0,3 bis 0,5 Watt pro Liter Wasser, denn das Becken braucht nur um wenige Grade über die Umgebungstemperatur erwärmt zu werden. Die meisten Aquarien werden außerdem zusätzlich durch die Beleuchtung erwärmt, vor allem wenn die Lampen direkt über der Wasseroberfläche hängen.

Filter und Belüftung

Filter sind in erster Linie dazu da, die Ausscheidungen der Fische, Futterreste, zerfallende Pflanzenteile, die das Wasser verschmutzen, herauszufiltern und in für das Aquarienmilieu unschädliche Stoffe umzuwandeln. Das Leben der Fische ist durch verschmutztes Wasser viel eher gefährdet als das Leben der Pflanzen. Daher stehen bei der Auswahl des Filters die Bedürfnisse der Fische im Vordergrund. Ob Sie sich für einen Innen- oder Außenfilter entscheiden und welche Marke Sie wählen, ist für die Pflanzen nicht so wichtig. Lassen Sie sich vom Zoofachhändler beraten. Viele Holländische Pflanzenaquarien (→ Seite 36), in denen nur wenige kleine Fische in üppigen Pflanzenbeständen schwimmen, haben keinen Filter, oder es läuft ein kleiner Filter nur ein paar Stunden am Tag.

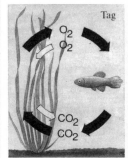

Sauerstoff (O_2)- und Kohlendioxid (CO_2)- Kreislauf.
Tagsüber atmen Fische und Pflanzen O_2 ein und CO_2 aus. Die Pflanzen nehmen bei der Photosynthese CO_2 auf und produzieren O_2.
Nachts (oder bei schwacher Beleuchtung) verbrauchen Fische und Pflanzen O_2 und scheiden CO_2 aus. Die Photosynthese ist im Dunkeln nicht möglich.

Nicht in ein Pflanzenaquarium gehören große Filter, die mit Kreiselpumpen eine starke Strömung erzeugen und das gefilterte Wasser durch Düsenrohre wieder ins Aquarium spritzen, damit das Kohlendioxid ausgetrieben und das Wasser wieder mit Sauerstoff angereichert wird. Ungeeignet sind auch die mit Luftpumpen betriebenen Ausströmersteine. Beides ist für »Fisch-Aquarien« gedacht, in denen keine oder nur wenige Pflanzen leben. In einem dichtbepflanzten Becken brauchen die Pflanzen zwar eine leichte oder stärkere Strömung, aber die Wasseroberfläche darf nicht allzu stark bewegt werden. Das Becken erhält eine dichtschließende Deckscheibe, damit das Kohlendioxid im Wasser bleibt und den Pflanzen zugute kommt.

Kauf und Einsetzen der Pflanzen

Was beim Auswählen zu beachten ist

Damit Ihr Aquarium zu einem dekorativen Anziehungspunkt in der Wohnung wird, müssen Sie eine funktionierende Pflanzengemeinschaft zusammenstellen. Wichtig dabei ist, daß alle Pflanzenarten ungefähr die gleichen Ansprüche an Wasserzusammensetzung, Temperatur und Lichtstärke stellen. Außerdem sollen die Haltungsansprüche der Pflanzen zu den Ansprüchen der Fische passen, die Sie pflegen wollen.

Wenn Sie nicht zu den Fischspezialisten gehören, die zur Zucht einer ganz bestimmten Fischart nur eine oder wenige Pflanzenarten als Laichsubstrat in das Aquarium setzen, können Sie die Bepflanzung nach ästhetischen Gesichtspunkten zusammenstellen und Pflanzenarten kaufen, die einander in ihrer Wirkung ergänzen. Mit großblättrigen Pflanzen kontrastieren feinfiedrige, hellgrüne mit dunkelgrünen oder roten, Pflanzen in Rosettenform mit Stengelpflanzen.

Beckengröße und Pflanzen

Wählen Sie die Pflanzen auch nach den Gegebenheiten Ihres Aquariums aus. Informieren Sie sich darüber, wie groß die Pflanzen werden (→ Pflanzenbeschreibungen, Seite 49), damit Sie Ihre Pflanzen nicht ständig zurückschneiden müssen, um sie an die Aquariengröße »anzupassen«. Die Pflanzen entfalten nämlich ihre volle Schönheit und ihre entgiftenden und sauerstoffspendenden Eigenschaften nur, wenn sie lange ungestört wachsen können und nicht dauernd neue Wurzeln bilden und Verletzungen ausheilen müssen. Stengelpflanzen zum Beispiel, die man alle paar Wochen zurückschneidet und neu steckt, werden von Mal zu Mal schmächtiger und gehen schließlich zugrunde.

Für flache Becken nicht zu empfehlen sind hohe Stengelpflanzen, wie Cabomba (Haarnixe), die großen Hygrophila-Arten (Wasserfreund) oder *Heteranthera zosterifolia* (Seegrasblättriges Trugkölbchen). Man müßte sie dauernd stutzen und die Gruppen aus Kopfstecklingen (→ Seite 32) jeden Monat neu formieren.

Für kleine Aquarien unter 1 m Länge ungeeignet sind sehr großwüchsige Pflanzen, wie *Echinodorus cordifolius* (Herzblättriger Wasserwegerich) oder tropische Seerosen. Ständiger Rückschnitt wäre nötig.

In größeren Aquarien spielt die Pflanzengröße aus ästhetischen Gründen eine Rolle. Hier sollte man darauf achten, daß die Pflanzen nicht zu klein sind. Ein 2 m langes, 70 cm hohes Becken würde nicht sehr dekorativ aussehen, wenn es nur mit kleinbleibenden Gewächsen wie *Echinodorus tenellus* (Grasartige Schwertpflanze), *Samolus parviflorus* (Amerikanische Bachbunge) oder mit niedrigen Cryptocorynen-Arten besetzt wäre.

Hinweis: Hilfreich für die richtige Auswahl der Pflanzen sind die Beschreibungen und Zeichnungen von 60 attraktiven Wasserpflanzen (→ Seite 49). Sie finden dort genaue Angaben über Größe und Aussehen der Pflanzen sowie Empfehlungen für ihren Standort im Becken, dazu zahlreiche Pflegetips.

Bepflanzung von neu eingerichteten Aquarien

Es hat sich bewährt, bei der Neueinrichtung eines Aquariums nicht gleich die anspruchsvollsten Pflanzen einzusetzen. Sie brauchen oft längere Zeit, um sich zu akklimatisieren und anzuwachsen. Solange können sie aber nicht zur Wasserverbesserung beitragen, und die Algen können sich üppig entwickeln. Wenn dann die Algenplage zu schlimm wird, gehen empfindliche Pflanzen zugrunde.

Beliebte Aquarienpflanzen.   ▷
Oben links: Rötliche Amazonas-Schwertpflanze (*Echinodurs osiris*); oben Mitte: Gewelltblättrige Wasserähre (*Aponogeton undulatus*); oben rechts: Steifblättrige Wasserähre (*Aponogeton rigidifolius*).
Mitte links: Kongo-Wasserfarn (*Bolbitis heudelotii*); Mitte Mitte: Amerikanische Bachbunge (*Samolus parviflorus*); Mitte rechts: Herzblättriger Wasserwegerich (*Echinodorus cordifolius*).
Unten links: Wendt's Wasserkelch (*Cryptocoryne wendtii*); unten Mitte: Kleiner Wasserkelch (*Cryptocoryne x willisii*); unten rechts: Teichlebermoos (*Riccia fluitans*).

Besser ist es, das Becken zunächst mit schnellwüchsigen, anspruchslosen Gewächsen wie Ludwigien und Sagittarien einzurichten. Sie wachsen so rasch an, daß die Algen kaum eine Chance haben. Ist das Aquarium dann ein paar Monate lang »eingefahren«, sind Pflanzen und Fische gesund, können Sie nach und nach die anspruchslosen Pflanzen gegen anspruchsvolle wie Cryptocorynen und Cabomba austauschen. Wenn Sie alle zwei bis vier Wochen eine neue Pflanzengruppe in Ihr Aquarium einfügen, sind immer so viele angewurzelte und wüchsige Pflanzen im Becken, daß die vom Umpflanzen geschädigten Neuankömmlinge zur Wasserverbesserung nicht gebraucht werden. In solch einem »eingefahrenen« Aquarienmilieu wachsen sie auch gleich besser an.
Hinweis: Cryptocorynen gedeihen oft gar nicht in ganz frisch eingerichteten Becken!

Für das Aquarium ungeeignete Pflanzen

Hin und wieder werden Zimmerpflanzen als Aquarienpflanzen angeboten, so zum Beispiel »Unterwasserbromelien« oder »Unterwasserpalmen«. Diese Pflanzen gehören nicht ins Aquarium, denn es handelt sich dabei um Landpflanzen, die in ihrem Bau nicht ans Wasserleben angepaßt sind. Unter Wasser kann eine Landpflanze kaum Nährstoffe und Gase aufnehmen, und sie kann keinen oder nur wenig Sauerstoff abgeben. Sie vegetiert im Wasser eine Zeitlang dahin, leistet nichts für das Aquarienmilieu und nimmt den Platz für die lebenswichtigen Wasserpflanzen weg, bis sie schließlich eingeht. Die absterbende Pflanze ist außerdem ein gefährlicher Fäulnisherd im Aquarium.
Hinweis: Im Paludarium (→ Seite 42) können Sie Bromelien, epiphytische Kakteen, Fittonien und *Spathiphyllum wallisii* (eine Verwandte der Kalla) ohne weiteres pflegen.

◁ Aquarienpflanzen mit rötlichen Blättern.
Oben: Rote Tigerlotus (*Nymphaea lotus*), Indischer Wasserstern (*Hygrophila difformis*).
Unten: Rotes Papageienblatt (*Alternanthera reineckii*) zwischen grünen Wasserpflanzen.

Der Pflanzenkauf

Der Zoofachhandel bietet heute nicht mehr alle Pflanzen mit losem Wurzelwerk an. Viele empfindlichere Arten sind in kleine Plastiktöpfchen (Container) mit massiven oder durchbrochenen Wänden gepflanzt. Stecklinge kommen gebündelt und mit in Schaumstoff oder Steinwolle gepackten Stielen in den Handel. Falls Sie die Wahl haben zwischen losen und eingetopften Pflanzen, entscheiden Sie sich besser für die Containerpflänzchen. Sie sind lebenskräftiger, da sie für den Transport vom Wasserpflanzenlieferanten zum Zoofachgeschäft nicht ausgegraben werden mußten. Durch die Töpfe, die Wurzeln und Stengel schützen, bleiben den Pflanzen bis zum Einsetzen in Ihr Aquarium die Umpflanzungsschocks erspart.

Worauf Sie beim Kauf achten sollten

Kaufen Sie nur gesunde und – wenn möglich – junge Pflanzen:
- Gesunde Pflanzen haben straffe Blätter und straffe Stengel und eine kräftige Farbe. Pflanzen mit vielen abgeknickten oder braun gewordenen Blättern erholen sich zwar bei guter Pflege schnell, wenn die Herzblätter noch gesund sind, aber für die Neueinrichtung eines Beckens sind sie nicht zu empfehlen.
- Junge Pflanzen passen sich den neuen Bedingungen in Ihrem Aquarium leichter an als alte, für die der Schock beim Umpflanzen oft so groß ist, daß sie einen Teil ihrer Blätter verlieren.
- Von Algen befallene Blätter pflücken Sie ab.

Transport der Pflanzen

Der Zoofachhändler verpackt die Wasserpflanzen meist in eine Plastiktüte; unempfindliche Arten werden auch manchmal in Zeitungspapier gewickelt. Für einen kurzen Transportweg vom Händler nach Hause reicht das, um die Pflanzen am Leben zu erhalten (Pflanzen zuhause sofort in eine Schüssel mit temperiertem Wasser legen!).
Für einen weiten Transport sollten Sie sich einen verschließbaren Eimer oder ein Glas mitbringen und die Pflanzen im Wasser transportieren. Im

Winter müssen Transportbehälter in dicke Lagen von Zeitungspapier gewickelt oder in einen Styroporkarton verpackt werden.

Pflege der Pflanzen vor dem Einsetzen

Neuerworbene Pflanzen müssen vor dem Einsetzen gesäubert werden. Legen Sie die Pflanzen deshalb zu Hause zunächst in eine Schüssel mit temperiertem Wasser und öffnen Sie die Bündelchen. Containerpflanzen werden samt Plastiktöpfchen ins Wasser gelegt. Damit die Pflanzen nicht antrocknen, bedeckt man sie mit einem Bogen Zeitungspapier. Er saugt sich voll und hält die aus dem Wasser herausragenden Pflanzenteile feucht.

Säubern der Pflanzen

Jede Pflanze wird einzeln aus der Schüssel herausgenommen und gesäubert.

Blätter und Stengel: Teile, die auf dem Transport angetrocknet sind, müssen Sie abschneiden. Angetrocknete Blätter und Stengel sterben bei Wasserpflanzen unweigerlich ab. Auch zerquetschte Teile erholen sich nicht wieder, sie werden abgeschnitten, ebenso ausgefranste oder braun gewordene Blätter und abgeknickte Pflanzenteile.

Wurzeln: Gesunde Wurzeln sind hell und straff, abgestorbene braun und schlaff. Die toten werden alle abgeschnitten.

Hinweis: Von den Containerpflanzen entfernen Sie jetzt die Plastiktöpfchen. Aus den massiven Töpfen ist der Wurzelballen leicht herauszunehmen. Aus den Gittertöpfen bekommt man stark verwurzelte Pflanzen nur schwer heraus. Versuchen Sie es nicht mit Gewalt. Es ist besser, diese Töpfe mit einer stabilen Schere Stück für Stück vorsichtig von den Wurzeln herunterzuschneiden, damit gesunde Wurzeln nicht beschädigt werden. Glas- oder Steinwolle spülen Sie vorsichtig aus dem Wurzelwerk der Stengelpflanzen heraus.

Schneckenlaich entfernen?

An manchen Pflanzen aus der Zoofachhandlung und an fast allen aus alteingerichteten Aquarien haftet etwas Schneckenlaich.

Nicht entfernen brauchen Sie die Laichballen, wenn Sie in Ihrem Aquarium Fische und nur robuste Pflanzen pflegen. Schnecken machen sich im Gesellschaftsaquarium nützlich, indem sie Futterreste und kleine Algen vertilgen.

Entfernen sollten Sie den Schneckenlaich, wenn Sie ein hauptsächlich oder allein für Pflanzen eingerichtetes Becken planen, in dem Sie auch feinblättrige, empfindliche Arten pflegen wollen. Kratzen Sie den Laich dann vorsichtig von den Pflanzen ab. Die Posthornschnecke (*Planorbis corneus*) frißt gerne die feinen Blattspitzen von Limnophila und Cabomba, und *Rotala macrandra* ist für alle Schnecken eine Delikatesse.

Auf jeden Fall entfernen sollten Sie Turmdeckelschnecken, wenn Sie unter den Bodengrund einen Langzeitdünger (→ Seite 28) eingebracht haben. Kratzen Sie dann besser den gesamten Schneckenlaich von den neugekauften Pflanzen. Turmdeckelschnecken sind später aus dem Aquarium nur recht schwer zu entfernen.

Durch ihre Wühltätigkeit vermischen sie im Laufe der Zeit den Langzeitdünger mit der oberen Kiesschicht, so daß das ganze Bodenmilieu durcheinandergerät und stark eisenhaltiger Dünger das Wasser rot färben kann.

Pflanzen desinfizieren?

Um möglicherweise vorhandene Krankheitserreger, anhaftende Algen und Schneckenlaich abzutöten, wird manchmal empfohlen, die Pflanzen in einer rosafarbenen Lösung von Kaliumpermanganat oder einer schwachen Alaunlösung zu desinfizieren, bevor man sie ins Aquarium bringt. Empfindliche, dünnblättrige Aquarienpflanzen werden durch das Desinfektionsmittel aber geschädigt, manchmal so sehr, daß Teile der Pflanze absterben. Viel besser ist es, das Aquarienmilieu durch reichliche Bepflanzung, regelmäßigen Teilwasserwechsel und nicht zu reichlichen Fischbesatz so gesund zu erhalten, daß die Fische kräftig und widerstandsfähig sind und Krankheitserreger abwehren können.

Das Einsetzen der Pflanzen

Wenn Sie ein Becken neu einrichten, füllen Sie das eingerichtete und dekorierte Aquarium zunächst zur Hälfte oder zu zwei Dritteln mit Wasser, bevor Sie mit dem Einpflanzen beginnen. So verhindern Sie, daß die Pflanzen beim Einsetzen antrocknen und Schaden nehmen. Um den Kies nicht aufzuwirbeln, legen Sie einen Bogen Zeitungs- oder Packpapier in das Becken, oder Sie stellen einen großen Teller hinein. Darauf wird beim Eingießen der Wasserstrahl gelenkt. Die Pflanzen sollten erst eingesetzt werden, wenn das Wasser mindestens auf 22 °C erwärmt ist, kaltes Wasser – vor allem im Winter – schockt die Pflanzen zu sehr.

Richtiges Einpflanzen: Die Pflanze zunächst tief in das Pflanzloch hineinstecken (links), Pflanzloch mit Bodengrund füllen und die Pflanze vorsichtig nach oben ziehen, damit die Wurzeln in die richtige Lage kommen (rechts).

Unbewurzelte Pflanzen

Stengelpflanzen sind meist unbewurzelt. Man steckt sie gruppenweise, aber jeden Stengel in ein eigenes Loch. Falls nämlich einer davon fault, kann er die anderen nicht anstecken. Die neuen Wurzeln entstehen an den Stengelknoten. Die Pflanze sollte daher mindestens zwei, besser vier Knoten tief gesetzt werden, damit sie genug Wurzeln bilden kann. Die Blätter am unteren Stengelteil entfernen Sie so weit, wie der Steckling in den Boden kommt (eingegrabene Blätter verfaulen!). Pflanzenklammern: Frisch gesetzte Stengelpflanzen faulen fast nie, sehr kostbare Stecklinge jedoch, bei denen Sie kein Risiko eingehen möchten, können Sie mit Pflanzenklammern aus Glas oder Kunststoff (im Zoofachhandel erhältlich) auf dem Bodengrund befestigen, ohne sie hineinzustecken. Die neuen Wurzeln suchen sich dann

selbst ihren Weg in den Boden. Diese Methode ist allerdings nur dann erfolgversprechend, wenn Sie keine lebhaften oder wühlenden Fische pflegen.

Bewurzelte Pflanzen

Bewurzelten Stengelpflanzen und den Pflanzen mit grundständiger Blattrosette – gleichgültig, ob als Containerpflanzen oder lose gekauft – kürzt man die Wurzeln. Mit einem scharfen Messer oder einer scharfen Schere entfernen Sie etwa die Hälfte oder zwei Drittel der Wurzeln. Es sollten nur so viele Wurzeln übrig bleiben, daß die Pflanze im Boden stecken bleibt und nicht aufschwimmt. Das Stutzen regt die Bildung neuer Wurzeln an. Wenn die Pflanze einen starken Wurzelstock (Rhizom oder kräftige Knolle) hat, können Sie die Wurzeln fast völlig abschneiden. Vorsicht, der Wurzelstock darf dabei nicht verletzt werden! So können keine angebrochenen Teile absterben und faulen. Bis zur Bildung neuer Wurzeln lebt die Pflanze von den im Wurzelstock gespeicherten Reservestoffen.
Richtig einpflanzen (→ Zeichnung links): Man bohrt mit dem Finger ein Loch in den Boden, steckt die Pflanze möglichst tief hinein, füllt das Loch wieder auf und drückt es von den Seiten her zu. Dabei werden die Wurzeln meistens nach oben gebogen. So kann die Pflanze aber nicht anwachsen. Um die Wurzeln in die richtige Lage zu

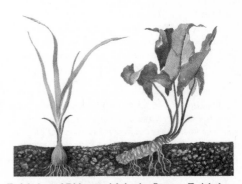

Zwiebeln und Rhizome richtig einpflanzen: Zwiebel nur so tief eingraben, daß die Austriebsstelle noch gut zu sehen ist (links). Rhizom schräg einsetzen, die Austriebsstelle muß über den Boden hinausragen (rechts).

bringen, zieht man jetzt die Pflanze wieder vorsichtig aus dem Bodengrund heraus, bis der Wurzelhals gerade eben über dem Boden erscheint. Bei Sagittarien und Vallisnerien sollte man die obersten 2 mm der Wurzeln noch sehen können. *Ceratopteris thalictroides* (Sumatrafarn) wächst viel schneller an, wenn noch 1 bis 2 cm des Wurzelwerks aus dem Boden herausschauen.

Pflanzen mit Rhizom

Die meisten dieser Pflanzen müssen möglichst tief eingesetzt werden, da nur an den Knoten der Rhizome (Stengelknoten) neue Wurzeln wachsen. Diese Pflanzen vertragen es aber ebenso wenig wie alle anderen, wenn die Austriebsstelle der Blätter, das Herz der Pflanze, im Kies eingegraben ist. Man pflanzt deshalb die Rhizome schräg ein, so daß der größte Teil im Boden liegt und das Herz darüber hinausragt (→ Zeichnung Seite 23). Besonders wichtig ist das beim Einpflanzen von Cryptocorynen.

Tips für das Einpflanzen

Viele Pflanzen gedeihen besser, wenn man beim Einpflanzen sowohl die Gestalt des Wurzelwerks als auch die besondere Empfindlichkeit bestimmter Pflanzenarten berücksichtigt. Dazu nachfolgend einige Tips und »Kniffe«:

Flachwurzelnde Pflanzen – wie die Echinodorus- und Aponogeton-Arten – setzt man in breite, flache Mulden, in denen man die Wurzeln schon etwas ausbreiten kann.

Tiefwurzler – wie Cryptocorynen, Sagittarien und Vallisnerien – pflanzt man in schmale, tiefe Löcher (Vorsicht, nicht den Langzeitdünger herauswühlen!).

Kleine Vordergrundpflanzen – wie *Lilaeopsis novae-zelandiae* (Neuseelandgraspflanze) –, die in den Plastiktöpfchen dicht verfilzt wachsen, kann man oft nicht vereinzeln. Man lockert die Päckchen nur auf, stutzt die Wurzeln, wo es möglich ist und pflanzt das Ganze wie eine Einzelpflanze.

Besonders empfindliche Pflanzen brauchen beim Einsetzen eine Sonderbehandlung:

• Aponogeton-Knollen, die man während der Ruhezeit kauft, haben keine Blätter. Deshalb ist es sehr wichtig, sie in der richtigen Lage in den Boden zu bringen. Die »Augen«, aus denen die Blätter austreiben, müssen beim Einpflanzen an der Oberseite liegen, sonst wächst die Pflanze nicht an!

• Anubias-Arten haben so empfindliche Wurzeln, daß man sie am besten gar nicht stutzt. Man legt die Pflanzen nur auf den Kies und klemmt das Rhizom mit einem Stein oder mit Pflanzenklammern fest. Die jungen Wurzeln finden dann selbst den Weg in den Boden. Man kann die Pflanzen auch mit Plastikschnur auf Holz oder poröse Steine aufbinden; sie wurzeln dort an. *Anubias barteri var. nana* ist nicht so empfindlich.

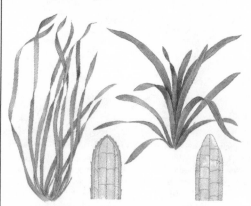

Vallisnerien (links) und Sagittarien (rechts) werden oft verwechselt: Vallisnerien haben feingesägte Blattränder, die Blattnerven münden alle gemeinsam in der Blattspitze. Sagittarienblätter sind glatt, die seitlichen Nerven enden schon vor der Blattspitze am Rand.

• Java-Farn (*Microsorium pteropus*) und Kongo-Wasserfarn (*Bolbitis heudelotii*) wachsen auf Moorkienholz und Lavasteinen besser als im Boden. Wenn man sie einpflanzt, darf ihr Rhizom (wie bei den Anubias-Arten) nicht eingegraben werden.

• Teich- und Seerosen (*Nuphar* und *Nymphaea*) ebenfalls nur auf den Kies legen und festklemmen (wie Anubias-Arten, → oben).

• Die Bananenwurzeln der Unterwasserbanane (*Nymphoides aquatica*) setzt man höchstens zu einem Viertel in den Boden oder legt sie nur darauf und klemmt sie mit Pflanzenklammern fest.

Sie sind so empfindlich, daß sie verletzt werden, Faulstellen bekommen und schließlich zugrunde gehen, wenn man sie zwischen spitze Kieselsteinchen pflanzt.

• Crinum-Arten (Hakenlilien) sind ebenfalls empfindlich gegen Druck und spitze Steinchen. Man pflanzt sie am besten in Torffasern gewickelt. Der Wurzelgrund der Zwiebel darf dabei nicht von den Fasern bedeckt sein, damit die frisch austreibenden Wurzeln nicht behindert werden.

• Die Wurzeln der Schwimmpflanzen werden nicht beschnitten. Man legt die Pflanzen nebeneinander auf die Wasseroberfläche. Falls sie sich beim Transport ineinander verwickelt haben oder falls die Wurzeln auf der Oberseite kleben, braucht man sie nur ein paar Mal unterzutauchen. Sie entwirren sich von selbst und schwimmen in der richtigen Lage an die Oberfläche zurück.

Dekorieren des Aquariums

Über die Dekorationsmaterialien und ihre Verwendung im Aquarium gibt die allgemeine aquaristische Literatur ausführlich Auskunft (→ Bücher, die weiterhelfen, Seite 72). Nachfolgend nur einige wichtige Hinweise:

Steine (Basalt, Granit, Lava, nordischer Schiefer und so weiter) müssen kalkfrei sein! Braune Steine kontrastieren mit den Pflanzen besonders gut.

Moorkienholz (im Zoofachhandel erhältlich), das im Aquarium nicht fault, säubert und kocht man gründlich, bevor man es ins Becken bringt. Die Wurzeln müssen sich vollsaugen, sonst schwimmen sie auf.

Verstecke und Laichplätze bilden Wurzeln und zu Höhlen zusammengestellte Steine oder ausgekochte Kokosnußschalen.

Rück- und Seitenwände sollten Sie dekorieren: Bemaltes Papier oder Styropor an den Außenwänden befestigen oder im Aquarium Steinwände (Steine in Zement verlegt, fertige Wand etwa zwei Wochen lang gewässert, um Alkalien herauszulösen), Korkwände (Korkeichenrinde gekocht, getrocknet und auf Hart-PVC-Platten geklebt) oder Polyurethanplatten, die durch Bezupfen modelliert werden, aufstellen. Es gibt auch Plastikrück-

wände zu kaufen. Diese Wanddekorationen lassen sich auch im Paludarium (→ Seite 42) verwenden. Alle Tiere fühlen sich wohler, wenn ihr Lebensraum nicht nach allen Seiten hin offen ist.

Der Bodengrund muß kalkfrei sein. Man nimmt Quarzkies in einer Korngröße von 2 bis 3 mm. Feinerer Kies liegt zu dicht, er wird auch bei Verwendung einer Bodenheizung schlecht durchströmt und fault leicht. In die Zwischenräume von gröberem Kies fällt zuviel Mulm, er verdichtet mit der Zeit ebenfalls. Für einen optimalen Pflanzenwuchs bringt man unter dem Kies einen der handelsüblichen eisenhaltigen Langzeitdünger ein. Verfahren Sie nach der Gebrauchsanweisung. Der Langzeitdünger ist nötig, weil die Pflanzen bei guter Beleuchtung rasch wachsen und viele Nährstoffe verbrauchen. Der Kies sollte braun oder bunt sein, hellgrauer reflektiert stark das Licht, das stört die Fische.

Bodengrund von vorn nach hinten ansteigend einfüllen. Große Becken erhalten Terrassen. Auf der hintersten und höchsten werden die lichtbedürftigsten Pflanzen untergebracht.

Terrassenbau: Aufrechtstehende Glasstreifen mit Silikonkautschuk am Beckenboden und an den Seitenscheiben festkleben, von vorne mit Steinen, Moorkienholz oder Korkrinde (ankleben!) passend zur Rückwand verblenden. Terrassenbausteine oder Torfziegel zum Mauerbau im Zoofachhandel erhältlich.

In die verschiedenen Abteile, die durch den Terrassenbau entstehen, kann man dann verschiedenartige Bodengrundmischungen für Pflanzen mit unterschiedlichen Ansprüchen einfüllen.

Algenfressende Fische: In das neueingerichtete Becken sollten Sie sofort einige algenfressende Fische einsetzen (zwei Wochen lang nicht füttern!), da sonst die Algen weit schneller als die Pflanzen wachsen. Am besten »arbeiten« Siamesische Rüsselbarben (*Epalzeorhynchus siamensis*) und Blaue Antennenwelse (*Ancistrus dolichopterus*). Aber auch viele andere Saugwelse (Otocinclus-, Panaque-, Hypostomus-, Rineloricaria- und Farlowella-Arten und alle Lebendgebärenden Zahnkarpfen sind gute Algenputzer.

Pflege und Vermehrung der Pflanzen

Pflege der Pflanzen

Aquarien, die hauptsächlich für die Haltung von Pflanzen eingerichtet sind, machen kaum mehr Arbeit als bepflanzte oder unbepflanzte Becken, deren Einrichtung auf die Bedürfnisse von Fischen zugeschnitten ist.

Täglich müssen Sie Ihre Fische füttern.

Wöchentlich sollten Sie die Sichtscheiben und die Deckscheiben (falls vorhanden) reinigen – mit einem Schwamm oder einem guten Scheibenreiniger aus dem Zoofachgeschäft. Angefressene oder absterbende Blätter und Stengel sind zu entfernen. Von den Fischen aufgewirbelter Mulm, der sich auf den feingefiederten Blättern von Cabomba- oder Limnophila-Arten abgesetzt hat, wird vorsichtig abgeklopft.

Stengelpflanzen

Stengelpflanzen werden eingekürzt, sobald sie die Wasseroberfläche erreichen. Man kann sie aber auch flutend an der Oberfläche weiterwachsen lassen, weil sie dann üppiger werden und sich auch verzweigen. Aber sobald sie den Bodenpflanzen zuviel Licht wegnehmen, müssen sie zurückgeschnitten werden:

• Bei Pflanzen(wie Hygrophila-Arten), die sich nach dem Rückschnitt sehr reichlich verzweigen, kann man das bewurzelte untere Ende der Stengel stehen und wieder austreiben lassen.

• Andere Arten (wie Cabomba) verzweigen sich nur spärlich nach dem Einkürzen und die Neutriebe bleiben klein und schwach. Man sollte daher die ganze Pflanzengruppe entfernen, von jedem Trieb die oberen 20 cm als Steckling abschneiden und die Gruppe aus diesen Kopfstecklingen neu pflanzen. Die unteren Teile werden weggeworfen.

Rosettenpflanzen

Von Zeit zu Zeit werden bei Rosettenpflanzen alte Blätter oder die Pflanzenbestände ausgelichtet. Bei allen Pflegemaßnahmen muß man vorsichtig vorgehen, damit die Pflanzen ihre natürliche Wuchsform behalten und das Aussehen der Bestände nicht beeinträchtigt wird.

Sehr großwüchsige Pflanzen: Den Herzblättrigen Wasserwegerich (*Echinodorus cordifolius*), die See- und Teichrosen (*Nymphaea* und *Nuphar*) und die Lagenandra-Arten muß man in den meisten Aquarien in ihrem Wachstum einschränken. Sobald sie zu groß geworden sind, pflückt man die großen äußeren Blätter ab, außerdem werden mit einem scharfen Messer ringsherum die Wurzeln abgestochen, etwa 15 cm vom Blattschopf entfernt. Die Pflanzen bilden dann neue Wurzeln und wachsen während dieser Zeit nicht weiter; die Wasserrosen treiben keine Schwimmblätter. Falls Nymphaea- oder Nuphar-Arten blühen sollen, beläßt man ihnen drei bis fünf Schwimmblätter. Wenn man auf die Blüte keinen Wert legt, kann man die Schwimmblätter sofort nach Erscheinen abkneifen, damit sie den anderen Unterwasserpflanzen kein Licht wegnehmen.

Ausläufertreibende Pflanzen: Sagittarien und Vallisnerien zum Beispiel oder rasenbildende Vordergrundpflanzen wie *Echinodorus tenellus* müssen ab und zu ausgelichtet werden. In sehr dichten Pflanzenrasen bilden sich nämlich sonst bei starker Beleuchtung so viele Algen, daß die Fische sie nicht mehr fressen können und auch der Mensch sie nicht mehr entfernen kann. Als Vorbeugemaßnahme rupft man von Zeit zu Zeit schwächere Jungpflanzen heraus oder entfernt auch einmal eine alte Pflanze, damit die Bestände sich immer wieder verjüngen. Da die Ableger nicht einzeln stehen, sondern ganze »Ketten« bilden (→ Zeichnung Seite 31), reißt man meist mehrere auf einmal heraus. Sind dabei zu große Lücken entstanden, setzt man einige der herausgerissenen Pflanzen wieder ein.

Sehr sorgfältig arbeiten muß man beim Herausziehen alter Pflanzen. Vor allem bei den kleinen Echinodorus-Arten kann es passieren, daß abgerissene Wurzelteile im Boden zurückbleiben, faulen und die jungen Pflanzen ringsherum in Mitleidenschaft ziehen. Häßliche Löcher im »Rasen« wären die Folge. Sehr verfilzte Bestände entfernt man oft besser ganz, sucht die kräftigsten Jungpflanzen heraus und setzt sie neu. (Cryptocorynen sollte man ebenso behandeln.)

Pflanzen mit Ruhezeiten: Unter den Aquarienpflanzen sind es nur die meisten Vertreter der Gattung Aponogeton, die eine Ruhepause verlangen. Diese Arten besitzen eine Knolle als Nährstoffspeicher. Aponogeton-Knollen treiben nach dem Einpflanzen rasch aus und wachsen und blühen unter günstigen Bedingungen sehr üppig, aber nach etwa acht Monaten stellen sie das Wachstum ein und verlieren nach und nach alle Blätter: sie ziehen ein. Man kann die Knolle einfach im Aquarium lassen, nach einigen Wochen treibt sie meist wieder aus.

Falls nach zwei Monaten keine neuen Blätter erscheinen, gräbt man sie aus und läßt sie einige Wochen lang auf dem Bodengrund liegen. Nach erneutem Einpflanzen treibt sie dann wieder aus. Die Fische dürfen allerdings die Knolle nicht anfressen.

Viele Aponogeton-Arten erschöpft aber die gleichbleibende Wärme des Tropenaquariums, sie werden von Jahr zu Jahr schwächer. Den meisten bekommt es besser, wenn man sie in eine flache Tonschale pflanzt, die man aus dem Becken nimmt, sobald die Pflanze einzieht. Man bringt sie zwei bis drei Monate lang in einem kühleren Aquarium unter, die Pflanze verträgt dann Temperaturen bis zu 16 °C und wenig Licht. Danach bringt man sie ins Tropenbecken zurück, sie treibt bei Temperaturen von über 20 °C willig wieder aus.

Wasserwechsel

Wenn in Ihrem Becken nur wenige Fische leben, genügt es meist, alle zwei Wochen mindestens ein Fünftel, höchstens ein Drittel des gesamten Aquarienwassers abzusaugen und durch frisches zu ersetzen. Aber je mehr und je größere Fische und je weniger Pflanzen Sie besitzen, desto häufiger muß das Wasser gewechselt werden.

Absaugen des Wassers: Sie benötigen einen 1,5 m langen Schlauch mit einem Durchmesser von 1,5 bis 2 cm und einen großen Eimer. Wenn mehr als 10 l Wasser gewechselt werden, stellen Sie am besten gleich mehrere Eimer für das abgesaugte Wasser auf, so müssen Sie die Arbeit nicht immer wieder unterbrechen. Zum Absaugen stecken Sie das eine Schlauchende ins Aquarium und saugen mit dem Mund kräftig am anderen Ende an. Das Wasser wird dadurch über den oberen Rand des Beckens gehoben und läuft dann von selbst durch den Schlauch in den bereitgestellten Eimer. Aufpassen, daß der Eimer nicht überläuft! Man bekommt dabei manchmal etwas Aquarienwasser in den Mund. Wenn Sie das vermeiden möchten, füllen Sie den Schlauch an der Wasserleitung ganz voll, halten die Enden mit den Daumen zu und tragen den gefüllten Schlauch zum Aquarium. Hier halten Sie das eine Ende ins Aquarienwasser, das andere in den Eimer und ziehen die Daumen weg. Das Wasser läuft!

Schwarze Pinselalgen Bartalgen Grüne Pelzalgen Grüne Punktalgen

Rotalgen und Grünalgen, die im Aquarium vorkommen können (Algenbekämpfung → Seite 48).

Mit dem Schlauchende, das sich im Aquarium befindet, fahren Sie wie mit einem Staubsauger über den Boden und nehmen dabei den Mulm auf, der sich aus Futterresten, Ausscheidungen der Fische und so weiter im Aquarium gebildet hat. Vorsicht, nicht zuviel Kies absaugen!

Hinweis: Aus dichten Cryptocorynen-Beständen den Mulm gründlich entfernen. Wenn zarte Wurzelspitzen in die Höhe ragen, ist der Boden verdichtet. Dann Boden lockern, Pflanzenbestand auslichten.

Auffüllen des Beckens: Das frische Wasser immer langsam nachfüllen, damit Kies und Mulm nicht aufgewirbelt werden.

Pflege und Vermehrung der Pflanzen

Düngen der Pflanzen

Wie oft und womit Sie Ihre Pflanzen düngen, hängt ab von der Anzahl der Pflanzen, der Lichtstärke, der Wassertemperatur, Art und Anzahl Ihrer Fische (Düngerproduzenten) und vom Dünger, für den Sie sich beim Einrichten des Beckens entschieden haben.

Langzeitdünger werden beim Einrichten in den Bodengrund eingebracht (Gebrauchsanweisung beachten). Nachgedüngt wird nach jedem Teilwasserwechsel mit einem eisenhaltigen Flüssigdünger.

Flüssigdünger können in Aquarien ohne Langzeitdünger im Bodengrund auch alleine verwendet werden. Zum ersten Mal düngen Sie beim Einrichten des Beckens, dann nach jedem Teilwasserwechsel. Beachten Sie die Gebrauchsanleitung, denn die Dosierung ist bei den einzelnen Präparaten verschieden.

So düngen Sie richtig

Gleichgültig, welchen Dünger Sie verwenden, beachten Sie beim Düngen folgende Grundregeln:
• Verwenden Sie nur eines der handelsüblichen Düngepräparate für Aquarienpflanzen! Düngemittel für Landpflanzen enthalten den Stickstoff im allgemeinen als Nitrat, das Wasserpflanzen nicht verwerten können oder das ihnen sogar schadet. Den Fischen schadet Nitrat auf jeden Fall!
• Düngen Sie mäßig, aber regelmäßig. Die Aquarienpflanzen gedeihen so besser, als wenn sie in großen Zeitabständen größere Düngermengen bekommen.
• Düngen Sie *nach* jedem Teilwasserwechsel (Menge gemäß Gebrauchsanleitung). Falls Sie Wasseraufbereitungsmittel verwenden (es fällt Chemikalien aus dem Leitungswasser aus), düngen Sie erst ein bis zwei Tage später.
• Spurenelemente gibt man täglich in winzigen Mengen.

CO_2-Düngung

Kohlendioxid (CO_2) ist das wichtigste Düngemittel. Selbst bei optimaler Beleuchtung, Düngung und Bodengrundwärme kommt das Wachstum zum Stocken, wenn die Pflanzen nicht genug CO_2 erhalten. Vor allem in Becken mit vielen Pflanzen ist die Anschaffung eines CO_2-Düngegerätes zu empfehlen. Installieren und betreiben Sie es wie vom Hersteller empfohlen.

Wie Wasserpflanzen sich vermehren

Bei Pflanzen unterscheidet man zwei Möglichkeiten der Vermehrung.
• Die sexuelle (geschlechtliche) Vermehrung durch Samen (bei Blütenpflanzen) oder Sporen (bei Farnen und Moosen).
• Die vegetative (ungeschlechtliche) Vermehrung durch Ausläufer beziehungsweise Ableger oder Teilung der Mutterpflanze.

Viele unserer Aquarienpflanzen wachsen in der Natur in Gewässern mit jahreszeitlich schwankendem Wasserstand oder in Sümpfen. Sie nutzen beide Möglichkeiten der Vermehrung. In der feuchten Jahreszeit, wenn sie unter Wasser stehen, breiten sie sich vegetativ durch Ableger aus, und sie blühen und fruchten, wenn der Wasserspiegel sinkt und sie emers wachsen müssen. Auf welche Weise sich die Pflanzen im Aquarium oder Paludarium vermehren lassen, ist in den Pflanzenbeschreibungen, die auf Seite 49 beginnen, jeweils unter dem Stichwort »Vermehrung« angegeben.

Die vegetative Vermehrung

Sowohl bei den Blütenpflanzen – den Rosetten- und Stengelpflanzen – als auch bei den Farnen und Moosen ist die vegetative Vermehrung im Aquarium weitaus einfacher und erfolgreicher als die

Oben links: Javafarn (*Microsorium pteropus*) auf Korkrinde; oben rechts: Brasilianischer Wassernabel (*Hydrocotyle leucocephala*).
Unten: Aquarium mit asiatischen Pflanzen und verschiedenen Barbenarten. Hinten links: Blütenstielloser Sumpffreund (*Limnophila sessiliflora*); hinten Mitte: Vallisnerie (*Vallisneria spiralis*); vorne links: Indischer Wasserstern (*Hygrophila difformis*; vorne rechts: Haertel's Wasserkelch (*Cryptocoryne affinis*).

Aussaat von Samen (die sexuelle Vermehrung). Man vermehrt deshalb die meisten unserer Aquarienpflanzen vegetativ. Dafür gibt es mehrere Möglichkeiten. Neben der Ableger- und Adventivpflanzen-Vermehrung, die in der Natur genauso vor sich geht wie im Aquarium, kann man junge Pflanzen auch aus Teilen älterer Pflanzen gewinnen, wenn man sinnvoll in die Wachstumsvorgänge eingreift.

Ableger, Ausläufer

Ableger sind Jungpflanzen, die sich am Ende eines Ausläufers in einiger Entfernung von der Mutterpflanze bilden. Jeder Ausläufer entwickelt sich in einer Blattachsel der alten Pflanze und entspricht einem Seitenzweig. Daher sind Ableger nur bei Pflanzen mit gestauchter Sproßachse zu finden, beispielsweise bei Vallisnerien, Sagittarien, den rasenbildenden Echinodorus-Arten und Cryptocorynen. Bei den meisten Arten entstehen lange Ketten von Jungpflanzen. Die Vermehrung durch Ableger ist problemlos, wenn Sie folgendes beachten:
• Ableger nicht zu früh vereinzeln. Sie sollten mindestens ein Drittel, besser halb so groß wie die alte Pflanze sein, bevor sie abgenommen und mit eingekürzten Wurzeln an ihrem neuen Standort eingesetzt werden. Sie wachsen sonst schlecht an und werden von den Fischen immer wieder herausgerissen.

• Wenn möglich, einige Ableger neben der Mutterpflanze stehen lassen, Pflanzengruppen wirken meist attraktiver als einzelne Pflanzen.
• Bei Arten, die sich reichlich durch Ausläufer vermehren, wie Vallisnerien oder die kleinen Echinodorus-Arten, Bestände öfter auslichten, damit sie nicht verfilzen. Die kräftigsten der Jungpflanzen können Sie an anderer Stelle neu ansiedeln.
• Am empfindlichsten sind die Ableger der Cryptocorynen. Sie dürfen erst abgetrennt werden, wenn sie fast so groß sind wie die Mutterpflanze (Cryptocorynen vertragen das Umpflanzen sehr schlecht).

Vermehrung durch Ableger bei Echinodorus. Ausläufer durchtrennen, wenn die Jungpflanzen etwa halb so groß sind wie die Mutterpflanze. Aus der Knospe (ganz rechts) bildet sich der nächste Ableger der Kette.

Ausläufer und Ableger bei Schwimmpflanzen: Unter den Schwimmpflanzen gibt es viele ausläufertreibende Arten. *Eichhornia crassipes* (Wasserhyazinthe), *Pistia stratiotes* (Muschelblume) und die Schwimmfarne *Ceratopteris pteridoides* und *Salvinia auriculata* bilden bei guten Lebensbedingungen sehr viele Ableger. Die Ausläufer sind jedoch wesentlich kurzlebiger als die der im Boden wurzelnden Pflanzen. Die Verbindung von der Mutterpflanze zu den Jungpflanzen zerfällt sehr rasch. Man braucht sie also nicht zu vereinzeln. Vermehren sich die Schwimmpflanzen zu stark, muß man sie auslichten, damit sie den Bodenpflanzen nicht zuviel Licht wegnehmen.

◁ Oben links: Gemeines Hornkraut (*Ceratophyllum demersum*); oben Mitte: Vallisnerie (*Vallisneria spiralis*); oben rechts: Mexikanisches Eichenblatt (*Shinnersia rivularis*).
Mitte links: Riesenvallisnerie (*Vallisneria gigantea*); Mitte Mitte: Rötliche Haarnixe (*Cabomba piauhyensis*); Mitte rechts: Flutendes Pfeilkraut (*Sagittaria subulata*). Unten links: Argentinische Wasserpest (*Egeria densa*); unten Mitte: Blütenstielloser Sumpffreund (*Limnophila sessiliflora*); unten rechts: Muschelblume (*Pistia stratiotes*).

Pflege und Vermehrung der Pflanzen

Adventivpflanzen

Adventivpflanzen sind Jungpflanzen, die an der Mutterpflanze selbst entstehen. Sie entwickeln sich bei den einzelnen Pflanzenarten an jeweils verschiedenen Stellen.

Microsorium pteropus (Javafarn) und Ceratopteris-Arten: Bei diesen Pflanzenarten bilden sich an den Blatträndern Knospen, aus denen sich die Jungpflanzen entwickeln. Sie bewurzeln sich, trennen sich aber oft nicht von der Mutterpflanze, sondern bilden ihrerseits neue Adventivpflanzen. Aus einem Javafarn kann also eine Pflanze mit mehreren »Stockwerken« entstehen.

Echinodorus-Arten: Bei den größeren Arten wie *Echinodorus cordifolius, Echinodorus bleheri* oder *Echinodorus osiris* entwickeln sich Adventivpflanzen an den Quirlen der submersen Blütenstengel.

Aponogeton-Arten: Bei *Aponogeton undulatus* und *Aponogeton stachyosporus* entstehen die Adventivpflanzen anstelle einer Blüte.

Hygrophila-Arten: Bei den großen Arten wie *Hygrophila difformis* oder *Hygrophila polysperma* bilden sich an der Abrißstelle von einzelnen Blättern, die man an der Wasseroberfläche treiben läßt, eine oder mehrere Knospen, aus denen sich Jungpflanzen entwickeln.

Vermehrung durch Adventivpflanzen: Adventivpflanzen nicht zu früh von der Mutterpflanze trennen. Bevor man sie abnimmt und einsetzt, sollten sie mindestens acht Blätter und schon kräftige Würzelchen gebildet haben. Die Aponogeton-Jungpflanzen müssen außerdem schon eine kleine Knolle haben.

Adventivpflanzen, die sich an Blütenstielen bilden, braucht man nicht unbedingt abzutrennen. Man biegt den Blütenstiel bis zum Bodengrund und hält ihn dort mit Steinen oder Pflanzenklammern fest. Die Jungpflanzen bewurzeln sich dann von selbst, und man kann sie nach einiger Zeit, wenn sie kräftig genug sind, abtrennen.

Die Adventivpflanzen an den Rändern der Schwimmfarne braucht man nicht zu vereinzeln. Man läßt sie einfach wachsen und lichtet nur ab und zu die Schwimmpflanzendecke aus, wenn sie zu dicht wird.

Stecklinge

Stengelpflanzen, also Pflanzen mit gestreckter Sproßachse, lassen sich gut durch Stecklinge vermehren. Ein Steckling ist ein Sproßabschnitt (Stengel und Blätter), den man in den Boden steckt und der sich an den Stengelknoten bewurzelt. Als Stecklinge verwendet man entweder die Seitenzweige einer Stengelpflanze, oder man zerschneidet die ganze Pflanze in mehrere Teile. Den oberen Teil bezeichnet man als Kopfsteckling, die anderen als Sproßstecklinge und Seitentriebe.

Vermehrung durch Stecklinge: Jeder Steckling sollte etwa 15 bis 20 cm lang sein und mindestens drei, besser mehr als vier Stengelknoten haben. Stecklinge mit einer scharfen Schere oder einem scharfen Messer schneiden (nicht quetschen!). Mindestens zwei Stengelknoten in den Boden stecken, damit sich genug neue Wurzeln bilden (→ Einsetzen von unbewurzelten Pflanzen, Seite 23).

Kopfstecklinge und Seitenzweige wachsen schneller an als Sproßstecklinge, weil sie ihre Vegetationsspitze behalten haben. Sie sehen dadurch auch von Anfang an attraktiver aus als die Sproßstecklinge, die erst in einer Blattachsel eine neue Vegetationsspitze bilden müssen. Bei unempfindlichen Pflanzen wie Ludwigien, den Hygrophila-Arten und *Heteranthera zosterifolia* (Seegrasblättriges Trugkölbchen) kann man auch problemlos Kurzstecklinge schneiden. Man teilt den Stengel in kleine Stücke, die nur einen oder zwei Stengelknoten umfassen, beläßt ihnen das obere (oder einzige) Blattpaar und steckt sie schräg in den Bodengrund. Diese Kurzstecklinge bewurzeln sich und treiben in einer Blattachsel eine Knospe, aus der nach einiger Zeit ein Seitentrieb emporwächst.

Besonderheit bei frei flutenden Pflanzen: Pflanzen, die alle Nährstoffe durch Blätter und Sproßachsen aufnehmen können, braucht man nicht einzupflanzen. Dazu gehören die Wasserpest-Arten (Egeria, Elodea) und die Hornkraut-Arten (Ceratophyllum). Sie lassen sich vermehren durch die vielen verzweigten Seitentriebe und sogar durch 5 cm lange Sproßstücke, die man einfach an der Wasseroberfläche treiben läßt. (Glasig werdende, ältere Teile entfernen.)

Wie man Stecklinge nicht behandeln darf: Alle Stecklinge bewurzeln sich auch dann, wenn man sie nicht einpflanzt, sondern an der Wasseroberfläche treiben läßt. Auf den ersten Blick scheint das ein bequemes Verfahren zu sein. Da aber jede Pflanze zum Licht hin wächst, krümmt sich das schwimmende Stengelstück zur Wasseroberfläche hin und wächst darüber hinaus. Der Steckling ist also später, wenn man ihn einpflanzen will, verbogen. Der Knick im Stengel wird nicht wieder gerade, die Pflanze wächst vielmehr nach dem Einsetzen wieder zur Lichtquelle hin und bildet dadurch einen zweiten Knick in entgegengesetzter Richtung. Solche krummen Stecklinge sehen nicht sehr attraktiv aus.

Falls Sie dennoch dieses Verfahren wählen, dann setzten Sie den krumm gewordenen Steckling bis zur Biegung in den Boden, so kann er senkrecht nach oben treiben.

Teilung ganzer Pflanzen

Pflanzen mit rosettenförmigem Blattschopf und gestauchter Sproßachse verwendet man im Aquarium häufig als Solitärpflanzen (Einzelpflanzen). Zur Vermehrung kann man die ganze Pflanze teilen:

• Die Pflanze mit einem scharfen Messer in der Mitte durchschneiden, so daß das »Herz«, die Vegetationsspitze, in zwei Teile zerlegt wird.
• Wurzeln kürzen.
• Einen Teil der Blätter entfernen, damit die Blattmasse wieder im richtigen Verhältnis zur Größe des Wurzelballens steht. Entweder alle alten, großen Blätter abpflücken und nur die jungen, kleinen an der Pflanze belassen, oder jedes alte Blatt auf die Hälfte oder ein Drittel zurückschneiden.
• Beide Teile einpflanzen.
Pflegehinweis: Es dauert lange, bis eine geteilte Pflanze sich wieder erholt, neu austreibt und ihre natürliche Wuchsform zeigt. Geteilte Solitärpflanzen sollte man deshalb in einem extra Becken einpflanzen und bestens pflegen, damit sie nicht am Schock zugrunde gehen oder an der Schnittstelle zu faulen beginnen.

Teilung von Rosettenpflanzen im Wurzelbereich

Einige Pflanzen haben Rhizome, Zwiebeln oder Knollen, die ihnen als Nährstoffspeicher für Notzeiten (zum Beispiel während der Trockenzeiten) dienen.

Rhizomteilung: Da Rhizome abgewandelte Sproßachsen sind, verzweigen sie sich, und an den Vegetationsspitzen entstehen Jungpflanzen. Die Abzweigung eines Rhizoms entspricht also einem Seitentrieb. Zur Vermehrung kann man die Jungpflanzen abtrennen oder das alte Rhizom teilen.

Jungpflanzen abtrennen: Sobald die Jungpflanze etwa zehn eigene Blätter hat, kann man ihr Rhi-

Vermehrung von Cryptocorynen: Das Rhizom zwischen den Einzelpflanzen mit einem sehr scharfen Messer durchschneiden. Die Jungpflanze sollte fast so groß sein wie die Mutterpflanze.

zom von dem der Mutterpflanze abtrennen. Gehen Sie dabei wie folgt vor:
• Die Wurzeln der Mutterpflanze vorsichtig freilegen und mit einem sehr scharfen Messer – ohne zu quetschen – das Rhizom möglichst nahe an der Mutterpflanze durchschneiden.
• Die Jungpflanze vorsichtig herausziehen und die Wurzeln der Mutterpflanze wieder mit Bodengrund bedecken.
• Danach die Jungpflanze einsetzen (→ Pflanzen mit Rhizom, Seite 24).
Altes Rhizom teilen: Auch die alten Teile der Rhizome, an denen keine Blätter mehr sitzen, können Sie zur Vermehrung verwenden.
• Rhizom etwa 5 cm vom Blattschopf entfernt mit einem scharfen Messer abschneiden und das be-

Pflege und Vermehrung der Pflanzen

blätterte Stück in frischen Boden einpflanzen. Nach einem sauberen Schnitt bildet sich schnell ein schützendes Abschlußgewebe, und die Pflanze wächst weiter, sobald sie den Schock des Umpflanzens überwunden hat.

• Das unbeblätterte Rhizom in mehrere Stücke teilen – bei Nymphea- und Nuphar-Arten in etwa 10 cm lange, bei Echinodorus-Arten in 3 bis 5 cm und bei Cryptocorynen-Arten in etwa 5 cm lange Teile.

• Wurzeln restlos abschneiden und die Rhizomstücke in ein Gefäß mit temperiertem (etwa 22 °C) Wasser legen. Nach einiger Zeit werden ein paar Knospen beginnen, wieder auszutreiben. Wenn sich am Rhizom neue Wurzeln gebildet haben, kann man es ins Aquarium einpflanzen.

Rhizomteilung bei Farnen: Von den Farnen *Bolbitis heudelotii* und *Microsorium pteropus* schneidet man die rückwärtigen Rhizomstücke ab, die keine Blätter mehr tragen, aber noch grün sind. Die Rhizomstücke sollten etwa 5 cm lang sein. Man bindet sie auf Holz oder Steine auf. Sobald sie angewurzelt sind, verzweigen sie sich und treiben neue Blätter.

Teilung von Knollen: Die Knollen der Aponogeton-Arten kann man während der Ruhezeit mit einem scharfen Messer teilen. An jedem Teilstück müssen ein oder mehrere »Augen« verbleiben, aus denen die Pflanze wieder neu austreibt. Die Teilung von Aponogetonknollen ist allerdings wenig zu empfehlen, da das zerschnittene Gewebe stark zum Faulen neigt. Die Aponogeton-Arten lassen sich durch Aussaat oder durch Adventivpflanzen sehr viel leichter und sicherer vermehren.

Vermehrung durch Tochterzwiebeln: Die Zwiebeln der Crinum-Arten (Hakenlilien) werden nicht geteilt. Sie treiben Tochterzwiebeln. Wenn man die Jungpflanzen vereinzeln möchte, muß man die Altzwiebel ausgraben und die Tochterzwiebeln abnehmen. Die Blätter der Jungpflanze sollten schon mehr als halb so lang sein wie die der Mutterpflanze. Dann ist die junge Zwiebel etwa ein Drittel bis halb so groß wie die alte und kann vorsichtig abgelöst und in Torffasern gewickelt eingepflanzt werden.

Gewebekultur

Man kann heute sogar Aquarienpflanzen ähnlich wie Orchideen aus Gewebekulturen heranziehen, indem man kleine Pflanzenteile abtrennt und in Petrischalen oder Reagenzgläsern, die mit Wuchsstoffen und Nährlösung gefüllt sind, zu vollständigen Pflanzen heranzieht. Bei Cryptocorynen gibt es bereits einige Erfolge. Wenn diese Art der vegetativen Vermehrung gelingt, erhält man in kurzer Zeit eine große Menge von Jungpflanzen. Sie sind einander genetisch völlig gleich, da sie alle von einer Mutterpflanze abstammen. Die Gewebekultur gehört allerdings zu den schwierigsten Unterfangen der Aquaristik, denn die Arbeit mit sterilen Gläsern, Wuchsstoffen, Pflanzsubstraten und so weiter kann ein interessierter Laie nicht auf Anhieb bewältigen. Interessenten können sich in der wissenschaftlichen Spezialliteratur und in Zeitschriften über Orchideenhaltung und -zucht näher informieren.

Die sexuelle Vermehrung

Die sexuelle Vermehrung der Aquarienpflanzen ist ungleich aufwendiger als die vegetative Vermehrung. Sie gehört sozusagen zur »Hohen Schule« der Wasserpflanzengärtnerei. Soll die Aussaat und die Aufzucht der jungen Pflänzchen gelingen, sind mehrere Haltungs- und Vermehrungsaquarien für submerse und emerse Kultur nötig. Doch auch dann kann es sein, daß die Bemühungen des Pflanzenpflegers nicht immer von Erfolg gekrönt sind. Die Sämlinge der empfindlichen Arten gedeihen oft auch bei bester Pflege nicht so richtig. Man muß annehmen, daß gewisse Nährstoffe oder Spurenelemente, die die Pflanzen in freier Natur zur Verfügung haben, in unserem Aquarienwasser trotz bester Düngung in zu geringen Mengen vorhanden sind. Es kann auch sein, daß irgendwelche Abfall- oder Giftstoffe, die in den natürlichen Fließgewässern nicht vorkommen, auf die Sämlinge einwirken. Für Pflanzenpfleger, die es mit der sexuellen Vermehrung versuchen wollen, nachfolgend eine kurze Einführung.

Pflege und Vermehrung der Pflanzen

Welche Pflanzen blühen?

Nicht nur von der Pflanzenart, sondern auch von den Haltungsbedingungen hängt es ab, ob unsere Aquarienpflanzen blühen.

In allen Aquarien, auch mit Deckscheibe, blühen ganzjährig submers lebende Pflanzen verhältnismäßig leicht, zum Beispiel die See- und Teichrosen *(Nuphar, Nymphaea)*, Schwimmpflanzen wie die Muschelblume *(Pistia stratiotes)*, die Sumpfschraube *(Vallisneria)*, die Wasserpest-Arten *(Egeria, Elodea)* und die Aponogeton-Arten.

In Aquarien ohne Deckscheibe kommen die meisten Echinodorus-Arten und fast alle Stengelpflanzen wie Lobelia, Limnophila oder Hygrophila zur Blüte.

In Paludarien blühen Cryptocorynen und Anubias-Arten. Diese Pflanzen kann man auch in einem »Behelfs-Paludarium« regelmäßig zum Blühen bringen: Man setzt die Pflanzen in ein eigenes Becken, das nur 2 bis 4 cm hoch mit Wasser gefüllt ist. Es muß schwach beheizt und dicht abgedeckt sein, damit die Pflanzen in feuchter Luft stehen. Den Boden kann man mit Sumpfmoos *(Sphagnum)* bedecken (→ Foto Seite 40); Bodenheizung empfehlenswert. Nach der Blütezeit können sie ins Aquarium zurück. Am besten vertragen die Pflanzen den Wechsel zwischen submerser und emerser Kultur und umgekehrt, wenn man sie eintopft (in mit nahrhaftem Bodengrund gefüllte Töpfchen).

Die Bestäubung

Da im Aquarium Wind und Insekten fehlen, die in der Natur die Bestäubung übernehmen, muß der Pflanzenpfleger selbst den Blütenpollen von Pflanze zu Pflanze übertragen. Das geschieht bei kleinen, zarten Blüten mit einem feinen Aquarellpinsel (Marderhaar), bei größeren mit einem Wattebausch und bei großen einfach mit dem Finger. Die meisten Pflanzen können nicht mit ihrem eigenen Pollen bestäubt werden. Bei zweigeschlechtlichen Blüten reifen die männlichen und die weiblichen Geschlechtszellen meist zu unterschiedlichen Zeiten, so daß eine Selbstbestäubung ausgeschlossen ist. Solche Blüten nennt man selbststeril. Pflanzen, bei denen Pollen und Samenanlagen zur gleichen Zeit reifen, nennt man selbstfertil, sie können mit dem eigenen Pollen bestäubt werden.

Die Aussaat

Die Samen muß man im Aquarium ernten, bevor sie ins Wasser fallen und vom Filter aufgesogen oder von den Fischen gefressen werden. Wenn es nicht möglich ist, die Pflanzen so genau zu überwachen, daß man die reifen Früchte oder Samen gleich abernten kann, empfiehlt es sich, die Blütenstände, die Samen angesetzt haben, mit Gaze zu umhüllen und diese festzubinden. Die Samen fallen dann in die Gazebeutelchen. Bei den meisten Aquarienpflanzen ist nicht bekannt, wie lange die Samen keimfähig bleiben. Sie sollten daher so bald wie möglich nach der Ernte ausgesät werden. In tiefem Wasser keimen sie nicht. Gehen Sie bei der Aussaat daher so vor:

• Eine flache Schale mit einem Sand-Lehm-Gemisch oder Sand-Lehm-Torf-Gemisch füllen.

• Die Samen ganz flach in etwa zentimeterbreiten Abständen leicht in das Gemisch drücken oder nur auflegen und mit einer dünnen Sandschicht übersieben. Sehr kleine Samen nur mit der Hand festdrücken.

• Die Saatschalen entweder in einem gut abgedeckten Aquarium mit ganz flachem Wasserstand (bis 4 cm) aufstellen oder in einem großen Becken direkt unter der Wasseroberfläche schwimmen lassen. Man kann sie auch mit einer Kunststoffhalterung unter der Wasseroberfläche aufhängen, auf größere Steinaufbauten stellen oder am oberen Teil der Rückwand befestigen. Die Saatschalen sehr vorsichtig unter Wasser bringen, damit die einströmende Wasser die Samen nicht herauswirbelt.

• Keimen die Sämlinge, müssen sie mit zunehmendem Wachstum immer tiefer ins Aquarium abgesenkt werden.

Andere Aussaatmöglichkeit: Sie können ein kleines Plastikbecken auf die Fensterbank über einen Heizkörper oder auf die stabile Abdeckung eines Aquariums stellen, so daß es von unten erwärmt wird. Handelsübliche Aquarienerde (kein Konzentrat) zur Hälfte mit grobem Sand mischen, 5 bis 10 cm Wasser einfüllen und die Samen vorsichtig in den Boden drücken. Den Wasserstand erhöhen, sobald die Blätter der Jungpflanzen aus dem Wasser herauswachsen. Beleuchtung etwa 13 Stunden pro Tag, Rote Posthornschnecken gegen Algen einsetzen.

Pflanzenaquarien und Paludarien

Das Holländische Pflanzenaquarium

Ein Holländisches Aquarium ist ein effektvoll bepflanzter Unterwassergarten, in dem Pflanzen, die die gleichen Ansprüche an Beleuchtung, Temperatur, Wasserzusammensetzung und Düngung stellen, eingesetzt und in Form und Farbe kontrastierend so angeordnet werden, daß ein harmonischer Gesamteindruck von Dekoration und Bepflanzung entsteht. Die Bedürfnisse der Pflanzen stehen im Vordergrund, nicht die der Fische. Man wählt also die Fische passend zu den Pflanzen aus und nicht wie bei einem Fischaquarium die Pflanzen zu den Fischen.

Die Pflanzenaquarien waren lange die Spezialität von holländischen Aquarianern, die in Gebieten mit weichem bis mittelhartem, leicht saurem Wasser lebten, das zur erfolgreichen Haltung vieler Tropenpflanzen geeignet ist. Seit Ionenaustauscher, CO_2-Düngegeräte und die eisenhaltigen Wasserpflanzen-Dünger entwickelt worden sind, ist es jedem Wasserpflanzenfreund möglich, sich eine üppige Unterwasserwelt einzurichten, auch wenn er in Gegenden mit stark kalkhaltigem, hartem Wasser wohnt.

Ein prächtig bepflanztes Holländisches Aquarium wird im Wohnraum immer ein faszinierender Blickfang sein, gleichgültig, ob Sie es einfach auf einen standfesten Tisch stellen und die technischen Geräte hinter Zimmerpflanzen »verstekken«, oder ob Sie es mit zur Einrichtung passenden Materialien umbauen, damit man die technischen Geräte nicht sieht. Sie können das Becken auch als Raumteiler oder als Wandbild in einem Mauerdurchbruch aufstellen. Wenn Sie Zimmerpflanzen in die Gestaltung Ihres Holländischen Aquariums einbeziehen wollen, müssen Sie darauf achten, daß auch diese Gewächse genügend Licht bekommen. Notfalls müssen sie künstlich beleuchtet werden (Leuchtstoffröhren oder HQI-Lampen).

Alle Dekorationselemente – Holz, Kork, Steine und auch Kunststoff – lassen sich verwenden. Und von den Pflanzen können Sie fast alles einsetzen, was Ihnen gefällt und was eine ästhetische Wirkung erzielt. Planen Sie die Anordnung am besten erst einmal auf dem Papier.

Gestalten eines kleinen Pflanzenaquariums

Die Gestaltung von Becken unter 1,20 m Länge sollten Sie besonders sorgfältig planen. Kleine Becken wirken bei allzu üppiger Dekoration und Bepflanzung schnell unruhig und »überladen«.
- Rückwand und Seitenwände von außen dekorieren.
- Nur eine Terrasse anlegen.
- Nur wenige schön geformte Steine oder bizarr geformte Wurzeln einsetzen.
- Sieben bis höchstens zwölf verschiedene Pflanzenarten einsetzen.

Bepflanzungsvorschlag für kleine Becken

Hintergrund: Je eine Gruppe von *Hygrophila difformis*, *Rotala rotundifolia* oder *Ammannia gracilis*, *Hygrophila corymbosa* (rotbraun) oder *Heteranthera zosterifolia*, an schattigen Stellen *Microsorium pteropus*.

Mittelgrund: An den Seiten Gruppen von *Rotala macrandra*, *Cabomba aquatica*, *Myriophyllum aquaticum*, in der Mitte Gruppen von *Cryptocoryne wendtii* und *Didiplis diandra*.

Vordergrund: Als Solitärpflanze ein *Aponogeton crispus* aus einem Rasen aus *Echinodorus tenellus* oder *Lilaeopsis novae-zelandiae* herauswachsend, an einer Seite eine Gruppe von *Cryptocoryne affinis*.

Gestalten eines großen Pflanzenaquariums

Ein 2 m langes, 60 cm breites und 60 cm hohes Becken könnte so aussehen:
- Rückwand und Seitenscheiben von innen mit Wänden aus Kork, Stein oder Kunststoff verkleidet und stellenweise mit *Vesicularia dubyana* und *Microsorium pteropus* bepflanzt.
- Ein bis zwei Terrassen, die höchste nicht mehr als 25 cm hoch, verkleidet mit Moorkienholz oder dem gleichen Material, aus dem die Rückwand besteht.
- Einige farblich harmonierende Steine und/oder Moorkienholzwurzeln auf dem Bodengrund.
- Achten Sie bei der Bepflanzung darauf, daß einige Durchblicke auf die Terrassenmauern und die Rückwand freibleiben, damit das Aquarium seine Tiefenwirkung behält und die schönen Materialien nicht verdeckt werden.

Bepflanzungsvorschlag für große Becken

Hintergrund (höchste Terrasse): Größere Gruppen von *Heteranthera zosterifolia, Rotala macrandra, Hygrophila difformis, Ammannia senegalensis* und *Limnophila aquatica* oder *Limnophila sessiliflora* oder einer Cabomba-Art, einige großblättrige Pflanzen dazustellen wie *Echinodorus osiris, Echinodorus parviflorus, Echinodorus bleheri* oder eine größere Cryptocorynen-Art.

Mittelgrund (zweithöchste Terrasse): *Cryptocoryne beckettii, Cryptocoryne griffithii* oder *Cryptocoryne cordata*, dazu kleine Büsche von *Didiplis, diandra, Hemianthus micranthemoides, Lobelia cardinalis* und etwas höher wachsende Gruppen von *Hygrophila corymbosa*. Dazwischen einzelne größere Pflanzen stellen wie *Aponogeton crispus, Cryptocoryne pontederiifolia* oder *Nymphaea lotus*.

Vordergrund: Rasenbildende Pflanzen wie *Echinodorus tenellus* oder *Echinodorus quadricostatus var. xinguensis*, die kleine *Cryptocoryne x willisii* und die braune *Cryptocoryne wendtii* in einer ihrer vielen Formen. Dazwischen einige größere Pflanzen wie eine kleine Gruppe von der schlanken *Cryptocoryne balansae*, ein *Aponogeton ulvaceus* oder ein *Aponogeton undulatus*.

Schwimmpflanzen: Nur in kleinen Mengen oder besser überhaupt nicht verwenden, da sie den im Boden wurzelnden Pflanzen zuviel Licht wegnehmen würden.

Fische für das Holländische Pflanzenaquarium

Die Fische für ein Pflanzenaquarium sollten nicht zu groß und nicht allzu lebhaft sein. Sie dürfen natürlich auch keine Pflanzen fressen. Auch Fischarten, die ständig im Bodengrund wühlen oder Laichgruben bauen, sind nicht zu empfehlen. Problemlos halten lassen sich in einem Holländischen Pflanzenaquarium:

Alle kleinen bis mittelgroßen Salmlerarten wie die Roten Neonfische (*Paracheirodon axelrodi*), die normalen Neonfische (*Paracheirodon innesi*), der Trauermantelsalmler (*Gymnocorymbus ternetzi*), alle Hemigrammus-Arten wie der Glühlichtsalmler (*Hemigrammus erythrozonus*) und der Schlußlichtsalmler (*Hemigrammus ocellifer*), die Hyphessobrycon-Arten wie der Blutsalmler (*Hyphessobrycon callistus*), der Kirschflecksalmler (*Hyphessobrycon erythrostigma*), der Schwarze Neon (*Hyphessobrycon herbertaxelrodi*) und der Loretosalmler (*Hyphessobrycon loretoensis*). Außerdem alle Arten der Beilbauchfische wie *Carnegiella strigata* und *Gasteropelecus maculatus*, alle Ziersalmler der Gattungen Nannostomus und Nannobrycon, der Schrägsteher (*Thayeria boehlkei*) und die Spritzsalmler (*Copella arnoldi*).

Von den Barben und Bärblingen eignen sich die Zebrabärblinge der Gattungen Danio und Brachydanio, die Purpurkopfbarbe (*Barbus nigrofasciatus*), die Eilandbarbe (*Barbus oligolepis*), die Zweipunktbarbe (*Barbus ticto*) und die Ceylonbarbe (*Barbus cumingi*) sowie alle Bärblinge der Gattung Rasbora.

Alle Arten der lebendgebärenden Zahnkarpfen (*Poeciliidae*), wenn das Wasser nicht zu weich ist (nicht weniger als 12 Grad Gesamthärte).

Anzahl der Fische: Man rechnet 4 bis 8 l Wasser pro cm Fischlänge (Länge des erwachsenen Fisches).

Pflege des Holländischen Pflanzenaquariums

Die Pflege eines Pflanzenaquariums ist ziemlich zeitaufwendig, man muß sich jede Woche ein paar Stunden lang damit beschäftigen, sonst wird aus dem prächtigen Unterwassergarten bald eine unansehnliche Wildnis. Für die richtige Pflege des Pflanzenaquariums sind nachfolgende Dinge besonders wichtig:

Die Deckscheibe muß dicht schließen, damit das Kohlendioxid (CO_2), der wichtigste Pflanzennährstoff, nicht aus dem Wasser entweicht.

Die Beleuchtung muß ausreichend stark sein. Man verwendet am besten die wirtschaftlichen Leuchtstoffröhren, die in einer Hängelampe möglichst dicht über dem Aquarium, in einer Abdeckleuchte oder einem großen Lichtkasten auf dem Aquarium installiert werden.

Eine Bodenheizung (Heizkabel oder Heizmatte) ist zu empfehlen, denn die Pflanzen sollten in gut durchströmtem, warmem Boden stehen.

Der Filter hat keine so große Bedeutung wie im Fischaquarium, da die wenigen, meist kleinen Fische das Wasser mit ihren Ausscheidungsprodukten kaum belasten. Es genügt, wenn er die Hälfte des Aquarienwassers einmal in der Stunde umwälzt. Da Pflanzen aber gerne in fließendem Wasser stehen, sollte der Filter eine leichte Strömung erzeugen können. Das Becken darf nicht zusätzlich mit Ausströmersteinen belüftet werden, da dadurch das Kohlendioxid aus dem Wasser ausgetrieben würde!

Die Wasseraufbereitung mit Hilfe eines Ionenaustauschers (gute Beratung im Zoofachhandel) oder durch Torffilterung kann nötig sein, da gerade die attraktivsten Wasserpflanzen wie Cryptocorynen, Cabomba, Rotala und Hygrophila weiches, leicht saures Wasser brauchen.

Die Düngung ist eine der wichtigsten Pflegemaßnahmen. Beim Einrichten des Beckens sollte ein Langzeitdünger in den Bodengrund eingebracht werden. Spurenelemente setzt man am besten täglich in kleinen Mengen zu, damit die Pflanzen diese wichtigen Nährstoffe in immer gleicher Menge im Wasser vorfinden. Einen guten Wasserpflanzen-Volldünger aus dem Zoofachhandel verwenden. CO_2-Düngung ist sehr zu empfehlen.

Die Pflanzenpflege ist etwas aufwendiger als in einem »normalen« Aquarium. Wenn das Pflanzenaquarium immer gepflegt und attraktiv aussehen soll, wird man weniger ansehnliche Pflanzen häufiger austauschen oder zu groß gewordene stutzen. Vor allem kurzgeschorene Stengelpflanzen, die man zur Vordergrundbegrünung verwendet, müssen manchmal jede Woche gestutzt oder aus Kopfstecklingen neu gesteckt werden, damit sie ihre Wirkung nicht verlieren. Viele Pflanzenarten vertragen aber ständiges Stutzen nicht, so daß man sie in größeren Mengen nachziehen muß. Dafür braucht man ein weiteres oder besser mehrere Becken in einem anderen Raum. Verschiedene Arten können dann auch emers herangezogen werden, da sie so produktiver und kräftiger sind. Die kräftigsten Jungpflanzen und neuen Triebe werden dann nach Bedarf in das Pflanzenaquarium eingesetzt.

Das offene Aquarium

Läßt man die Deckscheibe des Aquariums weg, können die Pflanzen aus dem Becken herauswachsen und sogar blühen. Im offenen Aquarium steht wie im Holländischen Aquarium die Pflanzenhaltung im Vordergrund. Solch ein Becken wirkt sehr dekorativ, wenn man es in einer Zimmerecke unterbringt oder als Raumteiler in Verbindung mit einer größeren Blumenbank, Zimmerpflanzencontainern oder Hydrokulturkästen aufstellt.

Wird es in ein großes Blumenfenster eingebaut, so muß man dafür sorgen, daß das Tageslicht nicht von der Seite ins Becken fallen kann. Die Algen können sich sonst sehr rasch entwickeln, außerdem stört das von der Seite einfallende Licht die Fische.

Die Form des offenen Aquariums

Häufig werden quadratische Aquarien in einer Größe von 70 × 70 × 50 cm angeboten (245 l), da sich dieses Format durch eine HQI- oder HQL-Lampe am günstigsten ausleuchten läßt. Sie werden meist in der Ecke einer rechtwinkelig angeordneten Sitzgruppe aufgestellt. Wer Platz genug hat, sollte sich allerdings die Freude an einem größeren Becken nicht entgehen lassen, denn so mächtige Pflanzen wie *Nymphaea lotus*, die großen Echinodorus-Arten, die blaublühende und duftende *Hygrophila corymbosa* und viele andere brauchen doch ein Becken von der doppelten Länge, um sich zu beeindruckenden Exemplaren beziehungsweise Gruppen entwickeln zu können.

Beispielhaftes Paludarium für Fische und tropische Frösche. ▷
Emerse Pflanzen: Links oben: *Ficus pumila*; Mitte links: *Spathiphyllum wallisii*; Mitte: *Vriesea splendens*; rechts darüber: *Schefflera actinophylla*; rechts hinten: *Maranta leuconeura »Fascinator«*.
Submerse Pflanzen: Mitte: Tausendblatt (*Myriophyllum spec.*); rechts: Haertel's Wasserkelch (*Cryptocoryne affinis*).

Pflanzenaquarien und Paludarien

Gestalten eines offenen Aquariums

Ein offenes Aquarium wird im Prinzip genauso gestaltet wie ein Holländisches Pflanzenaquarium, nur müssen Pflanzen, die rasch aus dem Wasser herauswachsen (wie Hygrophila, Echinodorus, Lobelia), in den Hintergrund und an die Seiten des Beckens gepflanzt werden, damit sie beim Füttern und Putzen nicht stören.

Bei der Bepflanzung sollte man außerdem darauf achten, daß einerseits Pflanzen eingesetzt werden, die besonders schnell aus dem Wasser herauswachsen (Hygrophila-Arten) und solche, die besonders schöne Blüten bilden (*Lobelia cardinalis*). Andererseits darf man die Pflanzenlandschaft unter Wasser nicht vernachlässigen.

Fische für das offene Aquarium

Halten können Sie fast alle Fische, die sich auch für das Holländische Pflanzenaquarium eignen (→ Seite 37). Ruhige Schwarmfische eignen sich gut für offene Becken. Ungeeignet sind springfreudige und aggressive Arten.

Nicht halten dürfen Sie also in einem offenen Aquarium die lebhaften Zebrabärblinge der Gattungen Danio und Brachydanio sowie die Beilbauchfische, die mit Hilfe ihrer Brustflossen Flüge bis zu 3 m unternehmen können.

Anzahl der Fische: Das Becken nicht mit Fischen überbesetzen, in einem 1,40 m langen Becken sollten nicht mehr als 40 bis 60 kleine Fische leben.

Wichtiger Hinweis: Auch wenn Sie nur ruhige Fische halten, sollten Sie oben um den inneren Rand des Beckens ringsherum einen 10 cm breiten Glasstreifen kleben (mit Silikonkleber). Es ist nämlich durchaus möglich, daß auch die ruhigen Fische irgendwann einmal (bei Verfolgung oder

Balz) versuchen, aus dem Becken herauszuspringen. Viele Fische springen direkt am Rand oder in den Ecken, so daß dann die Glasstreifen in den meisten Fällen den »Fluchtversuch« unterbinden.

Pflege des offenen Aquariums

Die Beleuchtung muß so angebracht sein, daß die Pflanzen oberhalb des Aquariums Platz haben. Am besten geeignet sind HQI-Lampen.

Die Bodenheizung können Sie auch im offenen Aquarium verwenden.

Der Filter (die Stärke) muß dem Fischbesatz angepaßt sein, eine zusätzliche Belüftung mit Ausströmerstein braucht man nicht.

Die Düngung darf nicht vernachlässigt werden. Eine Bodengrunddüngung ist nötig, nachgedüngt wird mit Flüssigdünger und möglichst täglich mit Eisen und Spurenelementen.

Pflanzenpflege: Besondere Pflegemaßnahmen sind nicht nötig. Sie können die Pflanzen im of-

---

Bepflanzungsvorschlag

Rückwand: An schattigen Stellen *Bolbitis heudelotii* oder *Microsorium pteropus*, in Pflanzengefäßen im oberen Drittel der Wand Cryptocorynen, die bei ausreichender Feuchtigkeit oberhalb des Wasserspiegels blühen.

Hintergrund: Je eine Gruppe der roten und grünen *Hygrophila corymbosa*, dazu je eine Gruppe *Hygrophila difformis*, *Alternanthera reineckii*, *Limnophila aquatica*, dazu ein *Echinodorus horemanni*, zwei *Echinodorus bleheri* und eine Gruppe *Cabomba piauhyensis*.

Mittelgrund: An den Seiten je eine Gruppe *Ammannia senegalensis*, *Cabomba aquatica* (oder *Limnophila sessiliflora*). Als Blickpunkt drei dunkelgrüne *Nymphaea lotus*, zusammen mit Gruppen von *Hemianthus micranthemoides* und *Cryptocoryne cordata*.

Vordergrund: An den Seiten je eine Gruppe von *Cryptocoryne balansae* und *Ammannia gracilis*; in der Mitte eine größere Gruppe von *Cryptocoryne × willisii* und eine kleine Gruppe *Echinodorus tenellus*, dazu ein *Aponogeton ulvaceus* oder eine Gruppe *Vallisneria asiatica var. biwaensis*.

Emerse Haltung von Wasser- und Sumpfpflanzen.
Oben: Kleines Paludarium mit dekorativen Pflanzen.
Unten: Pflanzschalen mit Sumpf- und Wasserpflanzen – zum Beispiel Muschelblumen (rechts und links), kleine Seerosen und Frauenhaargras (rechts).

fenen Aquarium genauso behandeln wie in jedem anderen Becken. Sie brauchen sie nur nicht zu stutzen.

Belüftung des Wohnraums: Normalerweise ist die Luft in unseren Wohnungen zu trocken, aber aus einem auf 25 °C aufgeheizten Aquarium ohne

Kleines Aquarium mit verschiedenen tropischen Pflanzen. Hintergrund: links Echinodorus und Vallisnerien, rechts Aponogeton und Sagittarien; Mitte: Echinodorus (Jungpflanze); Vordergrund: *Echinodorus tenellus* und andere kleine Vordergrundpflanzen.

Deckscheibe verdunstet mit der Zeit doch recht viel Wasser. Die aufsteigende Feuchtigkeit kann zu feuchten Zimmerecken und Schäden an den Tapeten führen. Deshalb müssen Räume, in denen offene Aquarien stehen, immer gut gelüftet werden und gleichmäßig auf 21 bis 23 °C erwärmt werden. Räume, in denen die Temperatur nachts unter 18 °C fällt, eignen sich nicht für das Aufstellen eines offenen Aquariums.

Das Paludarium

Pflegern von Terrarientieren ist das Paludarium schon seit langem bekannt. Die Aquarianer und die vielen Wasserpflanzenfreunde haben seit geraumer Zeit nun ebenfalls die Schönheit eines Paludariums entdeckt.

Was ist ein Paludarium?

Ein Paludarium (von lateinisch: palus = Teich, Sumpf) ist ein größerer Glasbehälter, in dem eine Sumpflandschaft, ein Fluß-, Bach-, Teich- oder Meeresufer nachgebildet ist, oder ein kleines Gewässer, über das pflanzenbewachsene Baumzweige herunterhängen.

Die Pflanzen: Im Paludarium pflegt man – submers und emers – Pflanzen, die in der Natur in der Uferzone angesiedelt sind. Ein besonders attraktives Gestaltungselement im Paludarium sind die Epiphyten. Das sind Pflanzen, die als »Aufsitzer« im Urwald auf Bäumen oder anderen Gewächsen wurzeln, aber nicht an ihnen schmarotzen. Mit diesen Pflanzen werden Rück- und Seitenwände dekoriert, oder man bindet sie auf einen Epiphytenstamm, einen größeren Baum-Ast.

Die Tiere: Je nach Gestaltung und Einrichtung können in einem Paludarium Fische leben, Amphibien (Frösche, Molche, Kröten) oder Reptilien (Wasserschildkröten, ungiftige, wasserliebende Schlangen oder Echsen).

Hinweis: Die Tiere im Paludarium sind keine Dekorationsgegenstände! Wer Aquarienfische oder Terrarientiere in einem Paludarium halten möchte, sollte sich unbedingt in der Fachliteratur über die Lebensansprüche dieser Tiere ausführlich informieren.

Einrichten des Paludariums

In dem nachfolgend beschriebenen Paludarium können Sie Pflanzen alleine halten, aber auch all die Fischarten einsetzen, die für das Holländische Aquarium geeignet sind (→ Seite 37).

Die Größe: Wenn Sie Tiere in einem Paludarium halten möchten, sind die Haltungsansprüche der Bewohner – sowohl der Tiere als auch der Pflanzen – entscheidend. Wer sich nicht auf ein paludarienähnliches Mini-Gewächshaus (→ Seite 44 und Foto Seite 40) beschränken möchte, braucht einen Glasbehälter von mindestens 120 cm Länge, 50 cm Breite (je breiter desto besser) und mindestens 80 cm Höhe (besser mehr).

Der Behälter: Glasbehälter in der genannten Größe gibt es nur selten fertig zu kaufen. Man muß sie vom Glaser anfertigen lassen oder – vorausgesetzt man ist handwerklich geschickt – selber bauen. Lassen Sie sich im Zoofachhandel beraten, viele Zoofachhändler können Ihnen Hersteller nennen, die Aquarien in Sondergrößen bauen und auch Paludarien fachgerecht herstellen. Man kann aber auch ein normales Aquarium nehmen und einen entsprechend hohen, oben geschlossenen Aufsatz anbringen. Die beiden Teile werden mit Silikonkautschuk zusammengeklebt. Bei dieser Lösung muß man die quer über die Sichtscheibe verlaufende Klebefuge in Kauf nehmen.

Die Türen: Sie sind notwendig, damit Sie im Paludarium hantieren, die Pflanzen pflegen und die Tiere füttern können. In niedrigen Paludarien (etwa 80 cm hoch) genügt eine Klappe im Dach (mit Kunststoffscharnieren befestigen). Hohe Paludarien brauchen Schiebetüren an einer Seitenwand oder an beiden Seitenwänden. Die Türen laufen unten und oben in Kunststoffschienen und müssen so dicht schließen, daß sich kleine Paludarienbewohner auf keinen Fall durch irgendwelche Ritzen quetschen können.

Die Belüftung: Tiere und Pflanzen brauchen Frischluft. In ungelüfteten Behältern würden die Tiere bald erkranken und die Pflanzen schimmeln. Die einfachste Belüftungsmöglichkeit sind breite Schlitze an jeder Seitenwand, die mit Kunststoffgaze oder siebartig durchlöcherten PVC-Platten verschlossen werden. Damit der ganze Behälter gleichmäßig von Frischluft durchströmt wird, sollte sich der Belüftungsschlitz auf der einen Seite möglichst weit unten befinden (hängt vom Wasserspiegel ab) und auf der anderen Seite direkt unter dem »Dach«.

Die Beleuchtung: Tageslicht reicht nicht aus. Das Paludarium braucht eine künstliche Beleuchtung (Leuchtstoffröhren, HQI- oder HQL-Lampen). Die Stärke der Beleuchtung hängt von den Lichtbedürfnissen der Pflanzen und Tiere ab.

Die Heizung: Praktisch ist eine Heizmatte, die außen unter dem Paludarienboden liegt. Für Heizkabel und Regelheizer muß man beim Bau des Behälters Löcher in eine Seitenwand schneiden lassen, in die dann PVC-Stutzen eingeklebt werden. Durch diese Stutzen werden die Kabel für die Heizung geführt und alles fest mit Silikonkautschuk verklebt.

Der Filter: Am einfachsten zu handhaben ist ein Thermofilter oder ein Motorinnenfilter. Die Zu- und Abläufe eines Außenfilters müssen durch PVC-Stutzen geführt werden.

Der Bodengrund: Sie können Aquarienkies mit einer Unterlage aus Langzeitdünger einbringen.

Das Wasser: Es wird etwa zu einem Drittel, höchstens bis zur halben Behälterhöhe eingefüllt. Das gilt aber nur für die Haltung von Fischen und/oder Pflanzen! Bei der Haltung von Terrarientieren in der Fachliteratur informieren!

Rückwand und Seitenwände: Die Wände können Sie genauso dekorieren wie in einem Aquarium. Sehr gut sieht es aus, wenn Sie Wände aus Stein oder Korkrinde, in denen Pflanzmulden ausgespart oder Pflanzbehälter eingebaut wurden, im Paludarium anbringen.

Die Bepflanzung des Paludariums

Das Reizvolle an der Bepflanzung eines Paludariums ist die dekorative Kombination von Wasserpflanzen und attraktiven Landpflanzen-Arten, zum Beispiel den epiphytischen Pflanzen.

Wasserpflanzen: Alle in diesem Buch beschriebenen Aquarienpflanzen (→ Seite 49) gedeihen submers, viele auch emers im Paludarium. Sie können den Wasserteil also wie ein offenes Aquarium (→ Seite 41) bepflanzen.

Epiphytische Pflanzen: Dazu gehören Bromelien, Orchideen, Geweihfarne, Philodendren und ähnliche Aufsitzer- und Kletterpflanzen. Sie werden auf einen Epiphytenast oder (über dem Wasserspiegel!) in die Pflanzmulden beziehungsweise -gefäße von Rückwand und Seitenwänden gesetzt.

Der Epiphytenast: Gut geeignet dafür ist ein Ast der Robinie (*Robinia pseudacacia*), auch Akazie genannt. Sie können ihn mit Korkrinde ummanteln, um ihn zu vergrößern oder bessere »Aufsitzflächen« für die Pflanzen zu schaffen. Besonders attraktiv sieht er aus, wenn er bizarr gewachsen und so groß ist, daß er über die gesamte Länge des Paludariums reicht. Einen Epiphytenast können Sie auch aus runden Korkrindenstücken selber bauen, indem Sie die Rindenstücke sorgfältig miteinander verkleben oder mit Plastikschrauben zusammenschrauben.

Anbringen des Epiphytenastes: Der Ast muß über dem Wasserspiegel angebracht werden, denn frisches Holz würde im Wasser faulen, vor allem aber vertragen es die epiphytischen Pflanzen nicht, wenn sie »mit den Füßen« ständig im Wasser stehen. Wie Sie den Ast befestigen (mit Silikonkautschuk, PVC-Stutzen oder Schrauben), hängt davon ab, ob und mit welchen Materialien

Sie die Rückwand und Seitenwände dekoriert haben.

Anbringen der Pflanzen: Die Pflanzen werden mit oder ohne Topf mit Hilfe von kräftigem Blumendraht oder stabiler Plastikschnur auf die Rinde gebunden. Blumentöpfe werden mit Korkrinde kaschiert. Die Wurzelballen der ausgetopften Pflanzen umwickelt man mit *Sphagnum* (Sumpfmoos), das Wasser speichert und ein Austrocknen des Wurzelballens verhindert.

Epiphyten für große Paludarien über 80 cm Länge und über 1 m Höhe: Große Bromelien: Guzmania-, Aregelia-, Vriesea-Arten; Orchideen: Phalaenopsis-, Cattleya-, Laelia-, Brassavola-Arten, ihre verschiedenen Artkreuzungen und die Zuchtformen daraus; Farne: *Asplenium nidus-avis*, der Nestfarn und die Platycerium-Arten; Kletterpflanzen: *Philodendron scandens, Scindapsus aureus, Setcreasia purpurea* und *Gynura aurantiaca*; Kakteen: *Zygocactus truncatus* (Weihnachtskaktus), *Rhipsaphyllopsis graeseri* (Osterkaktus).

Epiphyten für kleine Paludarien unter 80 cm Länge und 1 m Höhe: Kleine Bromelien: Tillandsia-Arten, Crypthanthus-Arten; Orchideen: Masdevallia-, kleine Epidendrum- und Cirrhopetalum-Arten, Kletterpflanzen und epiphytische Kakteen (wie im großen Paludarium).

An den dekorierten Paludarienwänden hält man submers und emers *Microsorium pteropus* und *Bolbitis heudelotii*, auch die Kletterpflanzen ranken sich darüber.

Pflanzenpflege: Man gießt die emersen Pflanzen regelmäßig mit Aquarienwasser, für die genügsamen Epiphyten reicht der darin enthaltene Dünger aus. Morgens und abends kann man mit einer feinen Blumenspritze die Pflanzen auch mit Wasser besprühen. (Die Fische werden in gleicher Weise wie im Aquarium gefüttert).

Wichtig: Landpflanzen in Töpfen werden mit normalem Blumendünger gedüngt, die Aquarienpflanzen mit Wasserpflanzendünger. Es darf kein Blumendünger ins Aquarium gelangen, denn er enthält Nitrat, das den Lebensraum der Wassertiere vergiften würde.

Mini-Gewächshäuser

Die Zimmergewächshäuser, die seit einiger Zeit im Handel angeboten werden, sind keine echten Paludarien, da sie sich nicht zur Haltung von Tieren eignen. Sie werden meist mit vollständiger Bepflanzung angeboten. An diesen Häuschen kann man viel Freude haben, wenn man die Pflanzen ihren Bedürfnissen entsprechend pflegt. Leider ist die Besetzung eines solchen Gewächshauses nicht immer ideal. Europäischer Sonnentau und die Amerikanische Venusfliegenfalle – beides fleischfressende Pflanzen aus dem Hochmoor – gedeihen ohne zusätzliche Heizung. Oft hat man aber andere fleischfressende Pflanzen dazugesetzt, die nur schlecht unter den gegebenen Lebensbedingungen gedeihen. Stehen dann zwischen den Moorgewächsen, die sauren Boden benötigen, auch noch Grünlilien und andere Zimmerpflanzen, die sauren Boden nicht vertragen, ist die Pflanzenpracht nicht von langer Dauer. Notfalls muß man die Bepflanzung abändern.

Die Pflege: Da die meisten Gewächshäuschen in den Ecken und an den Dächern nicht dicht sind, verdunstet die Feuchtigkeit rasch. Man muß sie deshalb mit Silikonkautschuk abdichten oder täglich mindestens einmal – bei Bedarf mehrmals – mit einer feindüsigen Blumenspritze Wasser darin versprühen. Auf ausreichende Beleuchtung muß geachtet werden. Tageslicht reicht oft nicht aus. Vor allem die Moorpflanzen, die in den meisten dieser Häuschen stehen, sind äußerst lichthungrig. Für größere Gewächshäuser ist also eine künstliche Beleuchtung nötig.

Hinweis: Wer nur wenig Platz hat, aber auf ein paar hübsche Wasser- und Sumpfpflanzen nicht verzichten möchte, kann eine flache Schale mit einem Kies-Torf-Gemisch und Wasser füllen und einige Pflanzen dekorativ darin anordnen (→ Foto Seite 40). Sie brauchen hohe Luftfeuchtigkeit und müssen daher täglich mit Wasser besprüht werden.

Pflanzenschäden und -krankheiten

Wenn Sie Ihre Aquarienpflanzen bei optimaler Beleuchtung und der richtigen Temperatur pflegen, sie mit allen Nährstoffen versorgen und den regelmäßigen Teilwasserwechsel nicht vergessen, werden Sie kaum Probleme mit Pflanzenkrankheiten oder Mangelerscheinungen haben. Kümmerliches Wachstum und Pflanzenschäden sind nämlich fast immer auf Pflegefehler zurückzuführen.

Schäden durch Fische und andere Tiere

Fische und Schnecken

Sie verursachen meist nur geringe Schäden an Blättern und Stengeln. Fische fressen junge Triebe an sowie Blattspitzen und -ränder, vorzugsweise bei feinfiedrigen Pflanzen. Schnecken raspeln manchmal kleine Löcher mitten in die Blätter. Abhilfe: Gesunde und wüchsige Pflanzen halten solch kleine Schäden aus.

Insekten

Blattläuse, Rote Spinnmilben oder »Weiße Fliegen« können sich an emersen Pflanzenteilen ansiedeln. Ursache: Meist zu trockene Luft. Abhilfe: Nur mechanische und biologische Bekämpfung möglich. Insektenbekämpfungsmittel sind für Fische giftig! Bei leichtem Befall: Blattläuse und Spinnmilben mit den Fingern zerdrücken, stark befallene Pflanzenteile abschneiden. Oder Blattläuse an die Fische verfüttern – vor allem Lebendgebärende und Eierlegende Zahnkarpfen fressen diese Parasiten gerne: Befallene Stengel unter Wasser drücken, Schwimmblätter umdrehen und einige Male untertauchen und so die Läuse abspülen. Bei starkem Befall sollten natürliche Raubfeinde der Schadinsekten zur Bekämpfung eingesetzt werden. Nur in geschlossenen Behältern möglich! Blattläuse zum Beispiel werden von Marienkäfer- und Florfliegenlarven gefressen, die roten Spinnmilben von Raubmilben. Auch parasitische Pilze kann man zur Insektenbekämpfung einsetzen. Lassen Sie sich im Zoofachgeschäft beraten.

Schäden durch falsche Haltung

Lichtmangel

Anzeichen: Pflanzen zart und schwächlich, Blätter blaßgrün bis gelblich, Stengel dünn. Bei Rosettenpflanzen kleine Blätter an schwachen Stielen. Stengelpflanzen spärlich beblättert, lange Internodien, Wuchs in der Nähe zur Lichtquelle kräftig und gedrungen, unterer Stengelteil manchmal völlig kahl. Auftreten von Kieselalgen. Ursachen: Verwendung von zu wenigen oder zu schwachen Lampen, von Lampen ohne Reflektoren oder überalterten Leuchtstoffröhren. Zu kurze Beleuchtungsdauer (weniger als 12 Stunden täglich). Algen oder Kalkbelag auf der Deckscheibe. Zu dichte Schwimmpflanzendecke. Abhilfe: Richtige Beleuchtung (→ Seite 14).

Falsche Lichtfarbe

Anzeichen und Ursache: Lang emporgeschossene Pflanzen bei Leuchtstofflampen mit sehr starkem Rotanteil im Lichtspektrum. Niedriger und gedrungener Wuchs bei sehr hohem Blauanteil. Kümmerwuchs und Lichtmangelerscheinungen bei einer Lampe mit grünem und gelbem Licht. Abhilfe: Richtige Beleuchtung (→ Seite 14).

Falsche Wassertemperatur

Anzeichen: Bei zu hoher Temperatur übermäßig lange Internodien und kleine Blätter bei Stengelpflanzen, schmächtiges Wachstum bei Rosettenpflanzen (ähnliche Anzeichen wie bei Lichtmangel!). Bei zu kalter Haltung stellen Pflanzen ihr Wachstum ein und sterben nach einiger Zeit ab. Ursache: Zu hohe oder zu niedrige Temperatur beziehungsweise falsches Verhältnis von Wärme und Lichtintensität oder von Wärme und Nährstoffangebot. Je höher die Temperatur, desto schneller wächst eine Pflanze. Reicht dann Licht oder Nährstoffangebot nicht aus, kommt es zu Wachstumsstörungen. Abhilfe: Temperatur, Licht und Nährstoffangebot überprüfen und Fehler korrigieren.

Störungen im Bodengrund

Anzeichen: Aufsteigen von Gasblasen, sobald man mit einem Stöckchen hineinbohrt, kümmerli-

cher Pflanzenwuchs, Turmdeckelschnecken graben sich bei Tage nicht mehr ein, Wurzeln der Pflanzen schwach, angefault, eventuell schwarz.
Ursachen: Bodengrund verdichtet oder zu alt.
Abhilfe: Bodengrund mit den Fingern lockern, dabei Mulm absaugen. Dies und festes Pressen auf den Boden läßt die Faulgase entweichen. Zwei Tage danach Filter reinigen, eine Woche später Pflanzen düngen. Falls sich die Pflanzen nicht in spätestens zwei Wochen erholt haben, Bodengrund erneuern.
Vorbeugung: Bodengrund nicht länger als drei Jahre im Aquarium belassen.

Ernährungsstörungen

Sauerstoffmangel
Anzeichen: Krankheitsanfälligkeit bei Fischen. Bei länger andauerndem Sauerstoffmangel kümmern die Pflanzen. Üppiger Algenwuchs.
Ursachen: Licht- oder Nährstoffmangel, die Pflanzen können dadurch nicht assimilieren, also keinen Sauerstoff bilden, der Stickstoff-Abbau im Aquarium funktioniert nicht mehr, da die Bakterien im Filter zu langsam oder gar nicht mehr arbeiten. Folge: Ein mit Abfallprodukten überlastetes Wasser und Kohlendioxid-Überschuß.
Abhilfe: Licht, Filter, Fischbesatz und alle übrigen Pflegemaßnahmen überprüfen, Fehler korrigieren.

Kohlendioxid (CO_2)-Mangel
Anzeichen: Die Pflanzen bleiben viel kleiner und wachsen langsamer als mit CO_2 gedüngte Pflanzen. Rauhe Beläge auf den Blättern (biogene Entkalkung).
Ursachen: CO_2-Mangel kann auch bei optimaler Haltung und Ernährung auftreten durch stark bewegtes Wasser oder Belüftung mit einem Ausströmerstein, da das CO_2 in die Luft entweicht.
Abhilfe: CO_2-Düngung.

Kohlendioxid (CO_2)-Überschuß
Anzeichen: Fische schnappen an der Wasseroberfläche nach Luft (Erstickungsgefahr, ähnlich wie bei Nitritvergiftung).
Ursache: Sauerstoffmangel durch Pflegefehler, CO_2-Überdüngung, meist verschmutzte Filter,

aber auch schlechte Beleuchtung, zu viele Fische, Haltung von Pflanzen und Tieren mit unterschiedlichen Lebensansprüchen.
Abhilfe: Pflegemaßnahmen überprüfen. CO_2-Zufuhr besser dosieren, Düngegerät nachts abschalten oder an die Schaltuhr der Beleuchtung anschließen. In Gesellschaftsaquarien Haltungsbedingungen grundlegend verbessern!

Blätter erkrankter Pflanzen (von links nach rechts): schwerer Blattschaden durch Nitratüberschuß; angefaulte und durchlöcherte Blätter durch Cryptocorynen-Krankheit; helle Blattnerven, gelblich-glasiges Blattgewebe durch Eisenchlorose; grüne Blattnerven und gelbes Blattgewebe durch Manganmangel.

Kaliummangel
Anzeichen: Gelbwerden der Ränder von jungen Blättern, Eisenchlorose (→ Seite 47).
Ursache: Kalium wird im Wasserwerk aus dem Leitungswasser entfernt, daher kann Kaliummangel auftreten.
Abhilfe: Regelmäßiges Düngen.

Phosphatüberschuß
Anzeichen: Durch Eisenphosphatbildung braune oder schwarze Verfärbung und Absterben der Blätter. Eisenmangel. Kommt Nitratüberschuß hinzu, dann explosionsartige Vermehrung der Algen.
Ursache: Teilwasserwechsel wurde vernachlässigt.
Abhilfe: Teilwasserwechsel unbedingt regelmäßig ausführen (das überschüssige Phosphat wird dadurch entfernt).

Pflanzenschäden und -krankheiten

Nitratüberschuß

Eine der gefährlichsten Pflanzenkrankheiten, die Cryptocorynenkrankheit oder -fäule, wird wahrscheinlich durch Überdüngung mit Stickstoffverbindungen, hauptsächlich Nitrat, hervorgerufen. Importpflanzen sind stärker gefährdet als in Europa herangezogene, am unempfindlichsten sollen hellgrüne, schmalblättrige Arten sein.

Anzeichen: Anfangs kleine Löcher in den Blättern oder an den Blatträndern (sie ähneln den Fraßstellen von Fischen und Schnecken), dann kann aber innerhalb weniger Tage die ganze befallene Pflanze oder sogar der gesamte Cryptocorynenbestand zerfallen und verfaulen.

Ursachen: Im Gegensatz zu vielen anderen Pflanzenarten, die in nitratreichen Gewässern leben, sind Cryptocorynen offenbar nicht in der Lage, Nitrate zu spalten und daraus ihre Nährstoffe, vor allem Ammonium, herauszulösen. Sie nehmen wahrscheinlich das Nitrat auf und speichern es mit anderen, im Moment nicht verwertbaren Stoffen in ihren Körperzellen. Über die Krankheitsursache gibt es verschiedene Theorien:

Eine besagt, daß die Pflanzen auf plötzliche Veränderungen im Aquarienmilieu wie auf einen Schock reagieren. (Veränderungen wie Wasserwechsel nach langer Zeit, Düngung nach langer Hungerperiode, Wechsel einer längst überfälligen Leuchtstoffröhre oder Reinigung eines sehr verschmutzten Filters.) Um den Schock zu überwinden, müssen die Pflanzen ihre gespeicherten Reservestoffe aktivieren. Dabei werden auch die gespeicherten Nitrate wieder frei und bilden in der Pflanze giftige Stickstoffverbindungen, die sie zum Absterben bringen.

Eine andere Theorie besagt, daß die Pflanzen nicht geschockt werden, sondern daß die plötzliche Verbesserung des Aquarienmilieus ihre Lebenskraft und damit die Fähigkeit zur Photosynthese anregt. Da die Pflanzen nun aber mehr Sauerstoff bilden, der sich auch in ihrem Körper verteilt, werden verschiedene chemische Verbindungen im Pflanzenkörper oxidiert und fallen aus, das heißt, sie werden unlöslich. Diese ausgefällten Stoffe verstopfen dann die inneren Leitungsbahnen der Pflanze, so daß sie zugrunde geht.

Beide Theorien machen deutlich, daß der Hauptgrund für die Cryptocorynenfäule offenbar falsche Ernährung ist, und der auslösende Faktor eine größere Veränderung im Aquarium.

Abhilfe: Das Aquarienmilieu sofort verbessern. Zerfallendes Pflanzenmaterial absaugen. Pflanzen in Ruhe lassen, sie erholen sich meist in wenigen Wochen.

Vorbeugung: Um Schocks zu vermeiden, für ein stabiles Aquarienmilieu sorgen.

Mangel an Spurenelementen

Ein Mangel an Eisen, dem wichtigsten Spurenelement, verursacht die Eisenchlorose.

Anzeichen: Gelbe Blätter, die brüchig und glasig werden und schließlich zerfallen.

Ursachen: Zu geringe Düngung, Kaliummangel, Phosphatüberdüngung. In gut gedüngten Aquarien auch zu hohe Karbonat- oder Gesamthärte und pH-Werte über 7.

Abhilfe: Regelmäßige Düngung mit eisenhaltigem Wasserpflanzenvolldünger, oder tägliche Zugabe von Spurenelementen (→ Seite 13).

Manganmangel

Anzeichen: Blätter gelb, aber die Blattnerven bleiben grün.

Ursache: Einseitige Eisendüngung.

Abhilfe: Düngung mit Wasserpflanzenvolldünger, keine einseitige Eisendüngung.

Blattschäden durch Chemikalien

Anzeichen: Algenbekämpfungsmittel, Fischmedikamente und Schneckengifte können Blattschäden verschiedenster Art hervorrufen. Die einzelnen Pflanzenarten reagieren unterschiedlich empfindlich und auch meist nicht sofort. Erst einige Wochen nach der Anwendung dieser Mittel vergilben sie oder werden braun.

Abhilfe: Nach allen chemischen Bekämpfungsmaßnahmen Teilwasserwechsel, es kann mehr als die Hälfte des Wassers ausgetauscht werden.

Hinweis: Gebrauchsanweisung der chemischen Mittel genau beachten!

Pflanzenschäden und -krankheiten

Algenbekämpfung

Das Einschleppen von Algen läßt sich nicht verhindern. Spätestens mit neugekauften Pflanzen oder Wasserflöhen aus dem Gartenteich bringt man sie in das Becken. Neu eingerichtete Aquarien werden besonders oft von einer Algenplage heimgesucht. Aber auch in älteren Becken können die unterschiedlichen Algenarten auftreten. Man muß dafür sorgen, daß sie nicht überhand nehmen beziehungsweise daß sie gar nicht erst entstehen.

Blaualgen

Anzeichen: Dichte, schmierige, blaugrüne, violette oder braunschwarze Beläge auf dem Bodengrund, den Steinen und Pflanzen. Modrig und scharf riechendes Wasser.

Ursachen: In neu eingerichteten Aquarien das noch nicht stabile Aquarienmilieu. In älteren Becken verdichteter Boden, übermäßige Fütterung, Überdüngung, Absterben und Verfaulen von Tubifex im Boden, schlecht gepflegte Filter, mit Nitrat belastetes Leitungswasser, zu seltener Wasserwechsel, ständiger Sauerstoffmangel.

Abhilfe: In neu eingerichteten Aquarien Beläge mit der Hand entfernen oder mit dem Schlauch sehr sorgfältig absaugen, am besten mehrmals täglich. In älteren Becken Filter reinigen, außerdem Teilwasserwechsel und Mulm absaugen. Zwei Tage später Pflanzen düngen (Eisen), um sie zu kräftigen; zur schnellen Wasserverbesserung Sagittarien, Wasserpest, Aponogeton, Hygrophila einsetzen, die Stickstoffabbauprodukte aufnehmen. Als Algenfresser am einfachsten: Rote Posthornschnecken; am schnellsten: pro 50 l Wasser drei Japanische Algenbitterlinge (*Rhodeus sericeus*). Temperatur nicht über 25 °C!

Kieselalgen

Anzeichen: Dünne, braune, etwas rauhe Beläge auf Aquarienwänden, Dekorationen und Pflanzen.

Ursachen: Lichtmangel, Sauerstoffmangel, zu hoher Nitratgehalt.

Abhilfe: Lichtintensität verstärken oder tägliche Beleuchtungsdauer erhöhen. Möglichst Schnecken und algenfressende Fische einsetzen.

Rotalgen

Anzeichen: Auf Pflanzen, Holz und Steinen schmutzig grüne bis schwärzliche Punkte (Schwarze Punktalgen), Fäden (Bartalgen) oder kleine Büschel (Schwarze Pinselalgen).

Ursachen: Einschleppen durch importierte Pflanzen aus Südostasien (vor allem Cryptocorynen), nitratreiches hartes Wasser mit pH-Werten über 7 (CO_2-Mangel!). Befallen werden meist nur kümmernde Pflanzen.

Abhilfe: Rotalgen sitzen sehr fest, deshalb Blätter abschneiden, man kann sie weder absaugen noch mit der Hand entfernen, ohne die Blätter zu beschädigen. Eisen- oder CO_2-Düngung bringt sie meist zum Verschwinden. Möglich ist auch die Filterung über Torf (mindestens zwei Monate lang), um Wasserhärte und pH-Wert zu senken. Überalterte Leuchtstoffröhren auswechseln. Algenfresser einsetzen.

Grünalgen

Anzeichen: Je nach Grünalgenart verschieden. Auf Dekorationen, Pflanzen und Bodengrund watteartige Beläge (Pelzalgen), dunkelgrüne Punkte (Grüne Punktalgen), verzweigte Fadenbüschel (Grüne Büschelalgen), lange Fäden, die die Pflanzen einspinnen (Grüne Fadenalgen), nicht festgewachsene Knäuel (Knäuelalgen). Die mikroskopisch kleinen grünen Schwebealgen der Gattung Volvox verwandeln das Wasser in eine undurchsichtige grüne Brühe.

Ursachen: Phosphatüberschuß und hohe Nitratwerte. Volvox wird manchmal mit Wasserflöhen eingeschleppt, tritt auch in hellbeleuchteten Becken, bei übermäßiger Fütterung und Überdüngung auf.

Abhilfe: Bei Volvox völliges Abdunkeln des Aquariums für drei bis vier Tage, Einsatz eines Oxydators (reichert das Wasser mit Sauerstoff an). Am besten UV-Licht, UV-Wasserklärer so lange betreiben, bis die Schwebealgen verschwunden sind. Mit einem DIATOM Filter (Zoofachhandel) läßt sich Volvox einfach herausfiltern. Fadenalgen vorsichtig mit der Hand entfernen. Um den Grünalgen die Lebensmöglichkeit zu entziehen, unbedingt den hohen Phosphat- und Nitratgehalt durch regelmäßigen Wasserwechsel senken. Möglichst algenfressende Fische einsetzen.

Die Aquarienpflanzen

Anubias barteri
Barters Speerblatt
Familie *Araceae*
(Aronstabgewächse)

Aponogeton crispus
Krause Wasserähre
Familie *Aponogetonaceae*
(Wasserährengewächse)

Aponogeton rigidifolius
Steifblättrige Wasserähre
Familie *Aponogetonaceae*
(Wasserährengewächse)

Verbreitung: Tropisches West-
afrika.
Aussehen: Bis 40 cm hoch. Rosettenpflanze mit dickem, kriechend
wachsendem Rhizom. Blätter gestielt, fest, lederig. Im Paludarium
raschwüchsig, Blüten häufig.
Wächst im Aquarium langsamer.
Varietäten: *Anubias barteri var.
barteri* – etwa 25 cm hoch, Blätter
oval-lanzettlich; *Anubias barteri
var. glabra* – etwa 40 cm hoch,
Blätter lanzettlich; *Anubias barteri
var. nana* (→ Zeichnung) – etwa
10 cm hoch, Blätter variabel, meist
spitz-eiförmig.
Pflege: Beim Einpflanzen Rhizom
und Wurzeln schonen! Bodendüngung nötig, durchwärmter Boden
und CO₂-Düngung, empfehlen.
Licht: 30 W/100 l.
Wasser: 22–28 °C; 2–15 °KH;
pH 6,0–7,5.
Vermehrung: Seitensprosse am
Rhizom, Rhizomteilung.
Standort: Höher wachsende Varietäten solitär oder in Gruppen im
Mittel- und Hintergrund, die kleinen gruppenweise im Vordergrund.

Verbreitung: Sri Lanka.
Aussehen: Bis 50 cm hoch. Rosettenpflanze mit Knolle als Nährstoffspeicher. Blätter gestielt,
lanzettlich bis länglich-elliptisch;
Blattrand intensiv gewellt. Blüte
weißlich, einährig, zwittrig, selbstfertil; treibt Blütenstiel über den
Wasserspiegel. Je nach Umweltbedingungen unterschiedliches Aussehen. Wird mit den Kreuzungen
und ähnlichen Arten manchmal als
»Crispus-Gruppe« zusammenge-
faßt. (Foto Seite 10.)
Pflege: Nur submerse Kultur
möglich. Nährstoffreicher Boden
und Eisendüngung! Ruhezeit
beachten!
Licht: 50 W/100 l (und mehr).
Wasser: 22–30 °C; 2–15 °KH;
pH 6,0–7,5.
Vermehrung: Samen, künstliche
Bestäubung nötig.
Standort: Solitär im Mittelgrund,
in großen Aquarien auch gruppenweise.

Verbreitung: Sri Lanka.
Aussehen: Über 60 cm hoch.
Rosettenpflanze mit Rhizom
(keine Knolle!). Blätter gestielt,
steif aufrecht, etwas brüchig, rauh
und hart, dunkelgrün bis olivbraun, am Rand leicht gewellt.
Blüte einährig, grünlich, selbststeril. (Foto Seite 19.)
Pflege: Keine Ruhezeit, da keine
Knolle als Nährstoffspeicher. Sehr
empfindlich, wichtig sind sauberes
Wasser und ungedüngter Boden;
Düngung mit eisenhaltigem Flüssigdünger. Bei CO₂-Düngung verträgt die Pflanze auch etwas härte-
res Wasser. Verträgt Umpflanzen
immer schlecht. Bei Haltungsfeh-
lern werden Blätter fleckig und
krümmen sich nach unten.
Licht: 50 W/100 l.
Wasser: 22–28 °C; 1–3 °KH;
pH 5,5–6,5.
Vermehrung: Seitensprosse am
Rhizom. Sämlingsaufzucht extrem
schwierig.
Standort: Solitär in großen
Aquarien.

Aponogeton ulvaceus
Ulvablättrige Wasserähre, Salat-Wasserähre
Familie *Aponogetonaceae* (Wasserährengewächse)

Aponogeton undulatus
Gewelltblättrige Wasserähre
Familie *Aponogetonaceae* (Wasserährengewächse)

Barclaya longifolia
Langblättrige Barclaya
Familie *Nymphaeaceae* (Wasserrosengewächse)

Verbreitung: Madagaskar.
Aussehen: Bis 60 cm hoch.
Rosettenpflanze mit runder, glatter Knolle. Blätter gestielt, stark gewellt und oft in sich gedreht, hellgrün, fast durchscheinend, bei sehr hellem Stand rötlich. Blüte zweiährig, gelb, selbststeril.
Pflege: Bodendünger nicht unbedingt nötig, eisenhaltiger Flüssigdünger aber angebracht. Gedeiht gut in bewegtem Wasser. Wächst bei zu schwachem Licht sehr hoch und dünn. Ruhezeit beachten!
Licht: 50 W/100 l.
Wasser: 18–28 °C; 2–15 °KH; pH 5,5–7,5.
Vermehrung: Samen.
Standort: Solitär.

Verbreitung: Indien und nördliches Hinterindien.
Aussehen: Etwa 40 cm hoch. Rosettenpflanze mit Knolle. Blätter gestielt, hellgrün; Blattränder gewellt, besonders stark bei hellem Stand, bei schwachem Licht Blätter fast glatt. Blütenbildung sehr selten, am Blütenstengel bildet sich fast immer eine Adventivpflanze (Foto Seite 19).
Pflege: Eisendüngung und etwas nährstoffreicherer Boden empfehlenswert. Ruhezeiten beachten!
Licht: 50 W/100 l.
Wasser: 22–28 °C; 5–12 °KH; pH 6,5–7,5.
Vermehrung: Adventivpflanzen. Sobald die Adventivpflanze eine kleine Knolle, Wurzeln und etwa 5–6 Blätter hat, kann man sie abnehmen und einpflanzen, oder den Blütenstengel nach unten biegen und festklemmen.
Standort: Solitär, in sehr großen Becken auch gruppenweise.

Verbreitung: Burma, Andamanen, Südthailand, Vietnam.
Aussehen: 25–50 cm hoch. Rosettenpflanze mit kleinem Rhizom. Blätter gestielt, lanzettlich; Blattränder gewellt, bei starkem Licht intensiver. Blüht im Aquarium häufig (emers oder submers). Submerse Blüten bleiben geschlossen, bringen aber wie die emersen keimfähige Samen hervor (Kleistogamie). Im Handel olivgrüne und rotbraune bis tiefrote Form erhältlich. (Foto Umschlagseite 2.)
Pflege: Eisendüngung unbedingt notwendig, Bodengrund- und CO_2-Düngung zu empfehlen. Verträgt Umpflanzen schlecht, danach einige Wochen lang Rhizom auf Faulstellen kontrollieren! Faulstellen entfernen. Rote Pflanzen sind lichtbedürftiger als olivgrüne.
Licht: Etwa 50 W/100 l.
Wasser: 22–28 °C; 2–12 °KH; pH 6,0–7,0.
Vermehrung: Samen oder Seitentriebe am Rhizom.
Standort: Solitär.

Crinum natans
Flutende Hakenlilie
Familie *Amaryllidaceae*
(Narzissengewächse)

Cryptocoryne affinis
Haertel's Wasserkelch
Familie *Araceae*
(Aronstabgewächse)

Cryptocoryne cordata
**Herzblättriger Wasserkelch,
Blass'scher Wasserkelch**
Familie *Araceae*
(Aronstabgewächse)

Verbreitung: Afrika.
Aussehen: 50-100 cm hoch. Zwiebelpflanze. Blätter grundständig, ungestielt, leuchtend grün, genoppt; bei guter Beleuchtung stärker genoppt als im Schatten. Blüte weiß, im Aquarium selten; Blütenstand etwa 80 cm hoch, ragt über die Wasseroberfläche.
Pflege: Helles Licht! Nährstoffreicher Boden; in hartem Wasser Kümmerwuchs. Verträgt kein Trypaflavin (in manchen Fischmedikamenten und Algenbekämpfungsmitteln enthalten).
Licht: 50 W/100 l (besser mehr).
Wasser: 24–30 °C; 2–10 °KH; pH 5,5–7,0.
Vermehrung: Rhizomausläufer, Tochterzwiebeln.
Standort: Solitär; Hintergrund in großen, hohen Aquarien.
Tip: Alle Crinum-Arten auch als Sumpfpflanzen für große Paludarien, geschlossene Blumenfenster oder für Kleingewächshäuser zu empfehlen.

Verbreitung: Malaiische Halbinsel.
Aussehen: 10–30 cm hoch. Rosettenpflanze mit kleinem Rhizom. Blätter gestielt; submerse Blätter länglich-eiförmig bis breit-lanzettlich, etwas genoppt und gewellt; Blattoberseite dunkelgrün, Blattunterseite weinrot. Bei emerser Haltung kürzere und glattere Blätter, dann oft Blüten, Fahne violettschwarz, Schlund weißlichgrün. Blüht manchmal auch im Aquarium. (Foto Seite 10 und 39.)
Pflege: Anspruchslos, verträgt gedämpftes Licht. Durch regelmäßige Düngung (Eisen) entstehen große Pflanzengruppen. Anfällig für Cryptocorynenkrankheit nach Veränderungen aller Art.
Licht: 30 W/100 l.
Wasser: 22–28 °C; 3–15 °KH; pH 6,0–7.
Vermehrung: Ausläufer.
Standort: Gruppenweise, je nach Aquariengröße im Vorder- oder Mittelgrund.

Verbreitung: Malaiische Halbinsel.
Aussehen: Bis 50 cm hoch. Ein Hauptvertreter der Cryptocorynecordata-Gruppe. Je nach Umweltbedingungen sehr unterschiedlich aussehend. Unter vielen verschiedenen Namen beschrieben (zum Beispiel *Cryptocoryne blassii, Cryptocoryne kerrii*). Blätter langgestielt, oval bis herzförmig, Oberseite grün, violett marmoriert, violett oder rötlichbraun, Unterseite cremefarben, rotbraun bis violett. Bei emerser Haltung Blüten, Fahne gelb bis rotbraun, Schlund gelb. (Foto Seite 10.)
Pflege: Anspruchsvoll! Formen mit ovalen Blättern sind leichter zu halten als die mit herzförmigen. Nährstoffreicher, durchwärmter Bodengrund, regelmäßige Eisendüngung. Wurzeln nicht verletzen!
Licht: 50 W/100 l.
Wasser: 24–28 °C; 2–8 °KH; pH 5,5–7,0.
Vermehrung: Ausläufer.
Standort: Solitär oder in Gruppen.

Cryptocoryne pontederiifolia
Pontederiablättriger Wasser-
kelch Familie *Araceae*
(Aronstabgewächse)

Cryptocoryne wendtii
Wendt's Wasserkelch
Familie *Araceae*
(Aronstabgewächse)

Cryptocoryne x willisii
Kleiner Wasserkelch
Familie *Araceae*
(Aronstabgewächse)

Verbreitung: Sumatra, Borneo.
Aussehen: Etwa 35 cm hoch. Rosettenpflanze mit dünnem Rhizom.
Blätter gestielt, oval-lanzettlich,
etwas genoppt, grün, Unterseite
schwach rosa gefärbt. Stiele lang,
bräunlich. Wächst bei emerser
Haltung gedrungener und kräftiger, blüht dann regelmäßig.
Pflege: Nährstoffreicher Bodengrund, Eisendünger. Möglichst selten umpflanzen, sonst Kümmerwuchs. Wurzeln empfindlich!
Licht: Etwa 50 W/100 l.
Wasser: 22–28 °C; 2–12 °KH;
pH 6,0–7,2.
Vermehrung: Ausläufer.
Standort: Bei heller Beleuchtung
solitär, wächst dann kompakt und
ausgebreitet. Im Schatten (zum
Beispiel im Beckenhintergrund)
höher und schmaler wachsend,
deshalb dort in Gruppen setzen.
Tip: Stabile Pflanze, auch für robuste Fische geeignet.

Verbreitung: Sri Lanka.
Aussehen: 10–40 cm hoch. Viele
Varietäten und Handelsformen mit
grünen, olivgrünen oder rotbrau-
nen Blättern, die sich in Größe,
Gestalt und Farbe unterscheiden.
Aussehen auch stark lichtabhängig, bei zu schwachem Licht ver-
grünen rotbraune Pflanzen, sie
wachsen höher und dünner, ge-
wellte Blattränder werden glatt.
Bei emerser Haltung Blüten.
(Foto Seite 19.)
Pflege: Gedüngter Boden, Eisendünger. Bestände regelmäßig auslichten. Bei raschen Veränderungen der Haltungsbedingungen anfällig für Cryptocorynenfäule.
Licht: Etwa 50 W/100 l.
Wasser: 24–28 °C; 2–15 °KH;
pH 6,5–7,5.
Vermehrung: Ausläufer.
Standort: Solitär, gruppenweise (in
dichten Gruppen wachsen alle Varietäten höher und schmaler);
kleine Varietäten im Vordergrund,
die größeren im Mittelgrund.

Verbreitung: Sri Lanka.
Aussehen: Bis 15 cm hoch. Blätter
gestielt, langoval bis lanzettlich,
grün; Stiele bräunlich bis grün. Bildet reichlich Ausläufer. Wächst in
emerser Kultur kompakter, treibt
dann auch Blüten, Fahne violett,
Schlund gelblich bis violett.
(Foto Seite 19.)
Pflege: Gedüngter Bodengrund,
häufiger Wasserwechsel mit regelmäßiger Nachdüngung. Bestände
ab und zu auslichten und vor Veralgung schützen.
Licht: 50 W/100 l.
Wasser: 22–30 °C; 2–15 °KH;
pH 6,5–7,5.
Vermehrung: Ausläufer.
Standort: Vordergrund, in Gruppen setzen. Je heller das Licht, desto flacher und breiter werden die
Pflanzen (Bodendecker).

Rosettenpflanzen

Echinodorus amazonicus
Amazonas-Schwertpflanze
Familie *Alismataceae*
(Froschlöffelgewächse)

Echinodorus bleheri
Breite Amazonas-Schwert-pflanze
Familie *Alismataceae*
(Froschlöffelgewächse)

Echinodorus cordifolius
Herzblättriger Wasserwegerich
Familie *Alismataceae*
(Froschlöffelgewächse)

Verbreitung: Brasilien.
Aussehen: Bis etwa 50 cm hoch.
Rosettenpflanze mit kurzem Rhizom. Blätter lanzettlich, schmal, oft leicht gebogen (säbelförmig), grün; Stengel ziemlich kurz.
Pflege: Verträgt weiches Wasser besser als hartes, wächst bei hoher Karbonathärte trotz guter Düngung kümmerlich, dann CO_2-Zusatz nötig. Lockerer Bodengrund und Eisendüngung wichtig!
Licht: 50 W/100 l.
Wasser: 22–28 °C; 2–12 °KH; pH 6,5–7,2.
Vermehrung: Adventivpflanzen am submersen Blütenstengel.
Standort: Solitär, in großen Aquarien auch in Gruppen.

Verbreitung: Tropisches Südamerika.
Aussehen: Über 50 cm hoch. Blätter gestielt, lanzettlich, dunkelgrün. Die Pflanze ähnelt *Echinodorus amazonicus* (Amazonas-Schwertpflanze), hat aber breitere Blätter, und *Echinodorus maior* (Riesenschwertpflanze).
Pflege: Verträgt auch höhere Karbonathärte, braucht aber regelmäßige Eisendüngung, sonst werden die Herzblätter gelb und glasig.
Licht: 50 W/100 l (verträgt auch weniger).
Wasser: 22–30 °C; 2–18 °KH; pH 6,5–7,5.
Vermehrung: Adventivpflanzen am Blütenstengel.
Standort: Solitär, in großen Becken als Gruppenpflanze im Hintergrund.

Verbreitung: Mittleres und südliches Nordamerika, Mexiko.
Aussehen: Über 50 cm hoch. Blätter gestielt, herzförmig, leuchtend grün. Schwimmblätter langgestielt. Blüht (weiß) im offenen Aquarium. (Foto Seite 9, 19 und Umschlagrückseite.)
Pflege: Schwimmblätter entfernen, sonst wirft die Pflanze die submersen Blätter ab und nimmt den anderen Pflanzen zuviel Licht weg. Kräftige Düngung bewirkt üppiges Wachstum. In kleinen Zimmeraquarien in kleine Töpfe pflanzen oder ab und zu die Wurzeln ringsherum abstechen. Auch Rückschnitt ist möglich.
Licht: 50 W/100 l.
Wasser: 22–28 °C; 5–15 °KH; pH 6,5–7,5.
Vermehrung: Adventivpflanzen am Blütenstengel; manchmal auch Samen.
Standort: Solitär in Aquarien von 250 l aufwärts; am besten in offenen Großaquarien zu halten.

Echinodorus horemanni
Horemann's Schwertpflanze
Familie *Alismataceae*
(Froschlöffelgewächse)

Verbreitung: Südbrasilien.
Aussehen: Über 60 cm hoch. Blätter kurzgestielt, lanzettlich, steif, pergamentartig, dunkelgrün, am Rand leicht gewellt. Eine rotblättrige Variante ist hin und wieder im Handel. (Foto Umschlagvorderseite.)
Pflege: Verträgt kühles Wasser besser als warmes. Nährstoffreicher Bodengrund und regelmäßiges Nachdüngen (Eisen) erforderlich; CO_2-Düngung empfehlenswert.
Licht: 50 W/100 l.
Wasser: 18–26 °C; 2–15 °KH; pH 6,5–7,5.
Vermehrung: Seitensprosse am Rhizom, Adventivpflanzen am submersen Blütentrieb.
Standort: Solitär.

Echinodorus osiris
Osiris-Schwertpflanze, Rötliche Amazonas-Schwertpflanze
Familie *Alismataceae*
(Froschlöffelgewächse)

Verbreitung: Südbrasilien.
Aussehen: Etwa 50 cm hoch. Blätter gestielt, lanzettlich, am Rand leicht gewellt, grün; junge Blätter (und daher auch Jungpflanzen) rötlich. Treibt im Aquarium keine Blüten, sondern nur Adventivpflanzen am Blütenstiel. (Foto Seite 19.)
Pflege: Verträgt hartes Wasser; wächst auch bei schwachem Licht. Bei starker Beleuchtung ist nährstoffreicher Boden und regelmäßiges Nachdüngen (Eisen!) unbedingt nötig, sonst kümmert die Pflanze; das Wasser sollte dann nicht kälter als 24 °C sein.
Licht: Etwa 50 W/100 l.
Wasser: 18–28 °C; 5–18 °KH; pH 6,5–7,5.
Vermehrung: Seitensprosse am Rhizom, Adventivpflanzen am Blütenstengel.
Standort: Solitär.

Echinodorus parviflorus
Schwarze Amazonaspflanze
Familie *Alismataceae*
(Froschlöffelgewächse)

Verbreitung: Peru, Bolivien.
Aussehen: Etwa 30 cm hoch. Schnellwüchsige Rosettenpflanze mit kräftigem Rhizom, wächst bei guter Pflege zu einem Prachtexemplar mit weit mehr als 60 Blättern heran. Blätter gestielt, lanzettlich, leuchtend grün; Blattadern oft rötlichschwarz.
Pflege: Nährstoffreicher Boden, regelmäßige Nachdüngung (Eisen!) nach jedem Wasserwechsel.
Licht: 50 W/100 l.
Wasser: 20–28 °C; 2–15 °KH; pH 6,0–7,8.
Vermehrung: Adventivpflanzen am Blütenstengel.
Standort: In kleinen Aquarien solitär; in großen Becken gruppenweise (nicht zu eng setzen!), zum Beispiel zum Verdecken kahler Stengel von Hintergrundpflanzen.

Rosettenpflanzen

Echinodorus quadricostatus var. xinguensis
Zwergamazonasschwertpflanze
Familie *Alismataceae*
(Froschlöffelgewächse)

Verbreitung: Rio Xingú, Pará, Brasilien.
Aussehen: Bis 15 cm hoch. Blätter gestielt, schmallanzettlich, hellgrün. Treibt reichlich Ausläufer. Rasenbildend.
Pflege: Bodendüngung meist nicht nötig, aber Eisendüngung nach jedem Wasserwechsel erforderlich. Je heller das Licht, umso mehr Nährstoffe werden gebraucht. Bestände rechtzeitig ausdünnen, sonst Veralgung!
Licht: 75 W/100 l.
Wasser: 22–28 °C; 2–12 °KH; pH 6,5–7,5.
Vermehrung: Ausläufer.
Standort: Vordergrund (bodendeckende Pflanze).

Echinodorus tenellus
Grasartige Schwertpflanze
Familie *Alismataceae*
(Froschlöffelgewächse)

Verbreitung: Brasilien bis USA.
Aussehen: Bis 10 cm hoch. Rosetten von grasartigen, ungestielten Blättchen, bei emerser Kultur breiter. Rasenbildend.
Varietäten: *Echinodorus tenellus var. tenellus* – Blätter sehr schmal, dunkelgrün bis rötlich; *Echinodorus tenellus var. parvulus* – Blätter etwas breiter, grasgrün.
Pflege: Lichtbedürftig, in hartem Wasser besser CO_2-Düngung. Einzelpflanzen mit genügend Abstand einsetzen, da sie schnell und reichlich Ausläufer bilden. Regelmäßig düngen (Eisen!), verfilzte Bestände öfters ausdünnen, wenn nötig, verjüngen.
Licht: 75 W/100 l (und mehr).
Wasser: 22–30 °C; 2–12 °KH; pH 6,5–7,2.
Vermehrung: Ausläufer.
Standort: Vordergrund (rasenbildende Pflanze).

Nymphaea lotus
Tigerlotus
Familie *Nymphaeaceae*
(Wasserrosengewächse)

Verbreitung: Ostafrika, Madagaskar, Südostasien.
Aussehen: 25-50 cm hoch. Submerse Blätter gestielt, rundlich bis oval, leicht gewellt mit tief eingeschnittener Basis. Schwimmblätter sehr lang gestielt, mehr oder weniger herzförmig mit grob gesägtem Rand. Blüte gelbweiß, duftend, bis 10 cm Durchmesser; Nachtblüher, selbstfertil. (Foto Seite 20.)
Varietäten: *Nymphaea lotus var. viridis* – Blätter grün, dunkelrot gefleckt; *Nymphaea lotus var. rubra* – Blätter rot mit dunkelroten Flecken. Viele Schattierungen.
Pflege: Soll die Pflanze blühen, muß sie 3–5 Schwimmblätter behalten, sonst abkneifen. Bei guter Beleuchtung kompakter Wuchs.
Licht: 50 W/100 l.
Wasser: 22–28 °C; 2–12 °KH; pH 5,5–7,5.
Vermehrung: Sämlinge, Rhizomausläufer.
Standort: Solitär in großen Aquarien.

Nymphoides aquatica
Unterwasserbanane
Familie *Menyanthaceael*
Gentianaceae
(Fieberkleegewächse/
Enziangewächse)

Sagittaria subulata
Flutendes Pfeilkraut
Familie *Alismataceae*
(Froschlöffelgewächse)

Samolus parviflorus
Amerikanische Bachbunge
Familie *Primulaceae*
(Schlüsselblumengewächse)

Verbreitung: Östliche und südöstliche USA (Florida).
Aussehen: Etwa 15 cm hoch. Submerse Blätter langgestielt, herzförmig, leicht gewellt, hellgrün bis rötlich. Am Grunde der Sproßachse bananenförmige Wurzeln als Nährstoffspeicher, Schwimmblätter derber, olivgrün, Unterseite rötlich. Nach Schwimmblättern Blütenbildung, Blüte weiß. Nach Blüte Adventivpflanzen, aber ohne »Bananen«.
Pflege: Bananenwurzeln nur bis zu ¼ in den Boden einpflanzen oder auch nur andrücken und etwas beschweren, bis sie sich von selbst verwurzeln.
Licht: 50 W/100 l (oder mehr).
Wasser: 20–28 °C; 5–10 °KH; pH 6,5–7,2.
Vermehrung: Adventivpflanzen oder voll ausgebildete Blätter auf feuchten Boden fest andrücken, bei hoher Luftfeuchtigkeit bewurzeln sie sich.
Standort: Solitär im Vordergrund.

Verbreitung: Amerikanische Ostküste, in Südamerika stellenweise eingebürgert.
Aussehen: Bis 60 cm hoch. Submerse Blätter ungestielt, bandförmig, stumpf. Blütenstände weiß, auf dünnen Stengeln flutend, ragen über Wasserspiegel. Raschwüchsig. bildet dichte Bestände.
(Foto Seite 30.)
Varietäten: Blattbreite unterschiedlich. *Sagittaria subulata var. subulata* (→ Zeichnung) – bis 30 cm hoch; *Sagittaria subulata var. gracillima* – 60 bis 90 cm hoch; *Sagittaria subulata var. kurtziana* – bis 50 cm hoch. Abgrenzung nicht einheitlich. Die größeren werden auch als »*forma natans*«, die kleinen als »*forma pusilla*« bezeichnet.
Pflege: Völlig anspruchslos; ab und zu verjüngen.
Licht: 50 W/100 l (oder weniger).
Wasser: 20–28 °C; 2–15 °KH; pH 6,0–7,8.
Vermehrung: Ausläufer.
Standort: Hintergrund.

Verbreitung: Nord- und Südamerika, westindische Inseln.
Aussehen: 10 cm hoch. Kleine Rosette aus bis zu 8 cm langen, kurzgestielten, spatelförmigen, hellgrünen Blättern, Blattadern fast weiß. Ähnelt Feldsalat (Rapunzel). Eigentlich eine Sumpfpflanze, blüht (weiß) und fruchtet bei emerser Haltung. (Foto Seite 19.)
Pflege: Gut düngen; braucht viel Licht. Nicht zu tief pflanzen!
Licht: 75 W/100 l.
Wasser: 18–24 °C; 5–12 °KH; pH 6,5–7,5.
Vermehrung: Im Aquarium nicht möglich.
Standort: Vordergrund, in Gruppen setzen.

Rosettenpflanzen

Vallisneria asiatica var. biwaensis
Schraubenvallisnerie
Familie *Hydrocharitaceae*
(Froschbißgewächse)

Vallisneria gigantea
Riesenvallisnerie
Familie *Hydrocharitaceae*
(Froschbißgewächse)

Vallisneria spiralis
Vallisnerie, Gewöhnliche Wasserschraube
Familie *Hydrocharitaceae*
(Froschbißgewächse)

Verbreitung: Biwasee, Yodofluß, Japan.
Aussehen: Bis 40 cm hoch. Submerse Rosettenpflanze mit kurzem Rhizom. Blätter ungestielt, bandförmig, schraubig gedreht, leuchtend grün. Blüte auf langen Stielen an der Wasseroberfläche (Foto Seite 10.)
Pflege: Lichtbedürftig, bei schwacher Beleuchtung werden die Blätter glatter. Besser in Becken ohne Schwimmpflanzen halten. Eisendünger empfehlenswert, sonst anspruchslos.
Licht: 75 W/100 l.
Wasser: 20–30 °C; 5–15 °KH; pH 6,0–7,2.
Vermehrung: Ausläufer.
Standort: Einzeln stehende Gruppen als Blickfang, auch für Seiten- und Hintergrundbepflanzung geeignet.

Verbreitung: Südostasiatische Inselwelt, Neuguinea, Philippinen.
Aussehen: Im Aquarium über 100 cm, Freiland bis 2 m hoch. Blätter ungestielt, bandförmig, stumpf, leuchtend grün. (Foto Seite 30.)
Pflege: Nur in hohen Aquarien halten, Blätter legen sich an der Wasseroberfläche um und beschatten andere Pflanzen. Nicht zu viele und nicht zu dicht setzen! Gedüngter Boden und Nachdüngen mit eisenhaltigem Dünger ergibt schöne große Exemplare, im mageren Boden bleiben sie blaß und schwach. Eisenmangel führt zu Chlorose.
Licht: 50 W/100 l (oder mehr).
Wasser: 18–28 °C; 5–15 °KH; pH 6,0–7,2.
Vermehrung: Ausläufer.
Standort: Hintergrund in hohen Aquarien.

Verbreitung: Ursprünglich Nordafrika und Südeuropa, heute in Tropen und Subtropen der ganzen Welt eingebürgert.
Aussehen: Über 50 cm hoch. Blätter ungestielt, bandförmig, stumpf. Blüte weißlich an der Wasseroberfläche auf schraubig gedrehtem Stengel. (Foto Seite 29 und 30.)
Pflege: Anspruchslos. Eine der ältesten Aquarienpflanzen. Bildet reichlich Ausläufer, daher schnell dichte Bestände.
Licht: 50 W/100 l.
Wasser: 15–30 °C; 5–12 °KH; pH 6,5–7,5.
Vermehrung: Ausläufer.
Standort: Hintergrund und Seiten von größeren Aquarien oder in Gruppen im mittleren Bereich oder in den vorderen Ecken.

Alternanthera reineckii
Rotes Papageienblatt
Familie *Amaranthaceae*
(Fuchsschwanzgewächse)

Ammannia gracilis
Zierliche Kognakpflanze
Familie *Lythraceae*
(Weiderichgewächse)

Ammannia senegalensis
Afrikanische Kognakpflanze
Familie *Lythraceae*
(Weiderichgewächse)

Verbreitung: Tropisches Amerika.
Aussehen: Etwa 50 cm hoch. Blätter gestielt, kreuzgegenständig, lanzettlich, oberseits olivgrün bis olivbraun oder rot, unterseits rotviolett. Bei emerser Kultur kleine, weiße Blütenstände in den Blattachseln. (Foto Seite 20.) Variable Art, mehrere Formen im Handel; am besten fürs Aquarium geeignet ist *Alternanthera reineckii* »Typ schmalblättrig«.
Pflege: Eisendüngung notwendig, nährstoffreicher Boden und CO_2-Düngung empfehlenswert. Bei Licht- und Nahrungsmangel verblaßt die Rotfärbung der Blätter und ihre Ränder werden glatt.
Licht: 75 W/100 l.
Wasser: 22–30 °C; 2–12 °KH; pH 5,5–7,5.
Vermehrung: Stecklinge, bei emerser Kultur Samen.
Standort: In Gruppen im Vorder- oder Mittelgrund. Paßt gut zu feinfiedrigen, hellgrünen Pflanzen.

Verbreitung: Tropisches Afrika.
Aussehen: Etwa 50 cm hoch. Blätter sitzend, kreuzgegenständig, schmallanzettlich, olivgrün bis rötlichbraun. Blüten klein, gruppenweise in Blattachseln.
Pflege: Bei Licht- und Nahrungsmangel Verblassen und Kümmerwuchs, Eisendüngung notwendig zur Erhaltung der Blattfärbung. Falls Stengel unten verkahlen, niedrige Pflanzen davorsetzen.
Licht: 75 W/100 l.
Wasser: 20–28 °C; 2–12 °KH; pH 5,5–7,5.
Vermehrung: Stecklinge, bei emerser Kultur Samen.
Standort: In Gruppen im Mittel- und Hintergrund oder an den Seiten. Paßt gut zu grünen Pflanzen.
Tip: Auch gut für Paludarien geeignet.

Verbreitung: Ost- und Südafrika.
Aussehen: Etwa 50 cm hoch. Blätter sitzend, kreuzgegenständig, lineal, hellolivbraun, Blattränder und -spitzen meist nach unten gebogen. An emersen Sprossen kleine blaßlila Blüten büschelweise in den Blattachseln. (Foto Seite 10.)
Pflege: Lichtbedürftig; Eisendüngung verhindert Verblassen der Farbe.
Licht: 75 W/100 l.
Wasser: 24–30 °C; 2–8 °KH; pH 6,5–7,5.
Vermehrung: Stecklinge, Samen bei emerser Kultur.
Standort: In Gruppen im Mittel- und Hintergrund sowie an den Seiten. Paßt gut – als Blickfang – zu grünen Pflanzen.

Stengelpflanzen

Bacopa caroliniana
Großes Fettblatt
Familie *Scrophulariaceae*
(Rachenblütler)

Cabomba aquatica
Wasser-Haarnixe
Familie *Nymphaeaceae*
(Wasserrosengewächse)

Cabomba caroliniana
Carolina-Haarnixe
Familie *Nymphaeaceae*
(Wasserrosengewächse)

Verbreitung: Südliche und mittlere USA.
Aussehen: Etwa 40 cm hoch. Blätter sitzend, kreuzgegenständig, elliptisch, hellgrün, bei sehr starkem Licht leicht rötlich überhaucht. Emerse Blätter fleischig, glänzen fettig. (Foto Seite 10 und Umschlagseite 3.)
Ähnliche Arten: *Bacopa monnieri* (Kleines Fettblatt) – bis 25 cm hoch, ähnliche Ansprüche; *Bacopa rotundifolia* (Rundes Fettblatt) – braucht weiches Wasser, verträgt submerse Haltung nicht ganz so gut wie die anderen Arten.
Pflege: Bei Licht- und Nahrungsmangel kümmerlich, dünn, lang und blaß. Regelmäßige Düngung notwendig, bei CO_2-Düngung darf das Wasser auch härter sein.
Licht: 50 W/100 l.
Wasser: 22–28 °C; 5–15 °KH; pH 6,0–7,5.
Vermehrung: Stecklinge.
Standort: Gruppenweise im Mittel- und Hintergrund und an den Seiten.

Verbreitung: Nördliches Südamerika bis südliches Nordamerika.
Aussehen: Etwa 50 cm hoch. Blätter gestielt, kreuzgegenständig, sehr fein gefiedert mit bis zu 600 Einzelsegmenten (im Aquarium oft nur etwa 200). Schwimmblätter und Blüten möglich.
Pflege: Schwierig zu halten; wichtig sind: sehr sauberes Wasser, sauberer Boden, sehr viel Licht, Eisendüngung. Verträgt kein hartes oder alkalisches Wasser. Vor Mulm und Veralgung schützen.
Licht: 100 W/100 l.
Wasser: 24–28 °C; 2–8 °KH; pH 6,0–6,8.
Vermehrung: Stecklinge.
Standort: Mittel- und Hintergrund von hohen Aquarien; in Gruppen setzen. Paßt gut zu dunklen und großblättrigen Pflanzen.
Tip: Möglichst nicht in Aquarien mit grabenden oder pflanzenfressenden Fischen.

Verbreitung: Nördliches Südamerika bis südliches Nordamerika.
Aussehen: 50 cm hoch. Blätter kreuzgegenständig, selten dreizählige Quirle; Blattspreiten feingefiedert, Blattsegmente etwa 1 mm breit, mit Mittelnerv. (Foto Umschlagseite.) In verschiedenen Formen im Handel: Am häufigsten sind Pflanzen, deren Blätter im Gesamtumriß etwa nierenförmig sind, mit bis zu 60 Blattsegmenten. Eine andere Form mit bis zu 150 Blattzipfeln und im Gesamtumriß runden Blättern wird oft als *Cabomba aquatica* bezeichnet. Attraktiv die Zuchtform »Silbergrün«.
Pflege: Verträgt Umpflanzen, dauerndes Einkürzen und CO_2-Mangel nicht. Braucht sauberes Wasser und gutes Licht.
Licht: 75 W/100 l.
Wasser: 22–28 °C; 2–12 °KH; pH 6,5–7,2.
Vermehrung: Stecklinge.
Standort: Hintergrund; in Gruppen setzen.

Stengelpflanzen

Cabomba piauhyensis
Rötliche Haarnixe
Familie *Nymphaeaceae*
(Wasserrosengewächse)

Ceratophyllum demersum
Gemeines Hornkraut
Familie *Ceratophyllaceae*
(Hornblattgewächse)

Didiplis diandra
Wasserportulak, Amerikanischer Sumpfquendel
Familie *Lythraceae*
(Weiderichgewächse)

Verbreitung: Mittel- und Südamerika.
Aussehen: Etwa 50 cm hoch. An jedem Stengelknoten drei Blätter, Blattspreiten feingefiedert, rötlich. Bei flutenden Pflanzen Schwimmblätter und Blüten möglich. (Foto Seite 30.)
Pflege: Weiches Wasser, starkes Licht und Eisendüngung unbedingt notwendig! Bei CO_2-Düngung kann das Wasser etwas härter sein. Braucht sauberes Wasser und sauberen Boden. Vor Mulm und Veralgung schützen! Nur zarte Fische einsetzen.
Licht: 100 W/100 l.
Wasser: 24–28 °C; 2–8 °KH; pH 6,0–6,8.
Vermehrung: Stecklinge.
Standort: In Gruppen im Mittel- oder Hintergrund. Paßt gut zu großblättrigen Pflanzen.

Verbreitung: Weltweit.
Aussehen: Etwa 50 cm hoch. Wurzellose Pflanze mit dichten Quirlen aus gabelig geteilten Blättern; Blätter dunkelgrün, deutlich gezähnt. Treibt frei unter der Wasseroberfläche und verzweigt sich dort zu dichten Polstern. Kann sich mit wurzelähnlichen Ersatzorganen (Rhizoiden) aus umgewandelten Blättern im Boden verankern. (Foto Seite 30.)
Pflege: Regelmäßig ausdünnen, nimmt sonst den Bodenpflanzen das Licht weg.
Licht: 35 W/100 l (oder mehr).
Wasser: 15–30 °C; 5–15 °KH; pH 6,0–7,5.
Vermehrung: Seitensprosse.
Standort: Überall im Aquarium.
Tip: Gut geeignet für Kaltwasserbecken und Zuchtbecken (Laichsubstrat und Versteck für abgelaichte Weibchen und für die Jungtiere).

Verbreitung: Nordamerika.
Aussehen: 15 cm hoch. Submers aufrechte, emers kriechende Pflanze. Blätter kreuzgegenständig, hellgrün; Triebspitzen bei hellem Licht leicht rötlich überlaufen. Kleine bräunliche Blüten in den Blattachseln, auch bei submerser Haltung.
Pflege: Verzweigt sich intensiv, deswegen nicht zu dicht pflanzen. Gute Beleuchtung und regelmäßige Düngung (Eisen) notwendig.
Licht: 75 W/100 l.
Wasser: 22–28 °C; 2–12 °KH; pH 5,8–7,2.
Vermehrung: Stecklinge.
Standort: Lockere Gruppe im Vorder- oder Mittelgrund.

Egeria densa
Argentinische Wasserpest
Familie *Hydrocharitaceae*
(Froschbißgewächse)

Hemianthus (Micranthemum) micranthemoides
Amerikanisches Perlkraut
Familie *Scrophulariaceae*
(Rachenblütler)

Heteranthera zosterifolia
Seegrasblättriges Trugkölbchen
Familie *Pontederiaceae*
(Wasserhyazinthengewächse)

Verbreitung: Argentinien, Paraguay, Brasilien.
Aussehen: 50 cm hoch und darüber. Am freiflutenden, etwas brüchigen Stengel hellgrüne, quirlständige Blätter, je 3–5 an einem Quirl. Einzelblätter mit sehr fein gezähnten Rändern. Bei Tageslichteinfall an flutenden Trieben ab und zu weißliche Blüten. (Foto Seite 30.)
Pflege: Braucht im Tropenbecken regelmäßige Düngergaben und viel Licht. Gedeiht bei CO_2-Düngung auch in sehr hartem Wasser.
Licht: 50 W/100 l.
Wasser: 15–25 °C; 8–18 °KH und mehr;
pH 6,5–7,5.
Vermehrung: Stecklinge.
Standort: Hintergrund und Seitenpartien; in Gruppen setzen.
Tip: Guter Sauerstoffspender für alle Aquarien. Eignet sich gut für Aquarien mit Lebendgebärenden Zahnkarpfen oder Amerikanischen Sonnenbarschen.

Verbreitung: Kuba, südöstliche USA.
Aussehen: Bis 40 cm hoch. Wächst submers aufrecht, emers kriechend. Wasserblätter langoval, sitzend, zu dritt oder zu viert in Quirlen, hellgrün. Die Pflanze verzweigt sich intensiv.
Pflege: Büschelweise pflanzen! Braucht viel Licht, regelmäßig düngen. Empfindlich gegen trypaflavinhaltige Fischmedikamente und Algenbekämpfungsmittel.
Licht: 75 W/100 l (oder mehr).
Wasser: 22–28 °C; 2–12 °KH; pH 6,0–7,0.
Vermehrung: Stecklinge.
Standort: Im Vordergrund als Polsterpflanze (dann ab und zu zurückschneiden!) oder im Mittelgrund als kleine Hecke. Gut geeignet, um verkahlte Stengel von Hintergrundpflanzen zu verdecken.

Verbreitung: Nordargentinien, Südbrasilien, Bolivien, Paraguay.
Aussehen: Etwa 50 cm hoch. Blätter wechselständig, sitzend, lineal; an den Sproßspitzen dichte Blattschöpfe. Raschwüchsig, verzweigt sich intensiv an flutenden Trieben, dann manchmal auch Blüten.
Pflege: Nach jedem Wasserwechsel mit eisenhaltigem Dünger nachdüngen!
Licht: 75 W/100 l.
Wasser: 22–28 °C; 3–15 °KH; pH 6,0–7,5.
Vermehrung: Stecklinge.
Standort: An den Seiten und im Mittel- oder Hintergrund aufrechtwachsend in lockeren Gruppen; im Vordergrund als Polsterpflanze dafür Kurzstecklinge (Stengelteile mit je einem kurzen Seitentrieb) schräg in den Boden stecken, sie bilden bei starkem Licht kriechende Sprosse.

Hydrocotyle leucocephala
Brasilianischer Wassernabel
Familie *Apiaceae*
(Doldenblütler)

Verbreitung: Brasilien.
Aussehen: Etwa 50 cm hoch. Blätter wechselständig, rundlich bis nierenförmig mit etwas eingebuchteten Rändern. An den Stengelknoten feine Wurzeln. (Foto Seite 29.)
Pflege: Schnellwüchsig, Gruppe muß häufig aus Kopfstecklingen neu formiert werden, der abgeschnittene untere Stengelteil treibt nur selten aus und wird besser entfernt. An der Wasseroberfläche flutende Triebe verzweigen sich intensiv, nehmen dadurch den anderen Pflanzen das Licht, deshalb regelmäßig auslichten! Lichtbedürftig, sonst anspruchslos.
Licht: 75 W/100 l.
Wasser: 20–28 °C; 2–15 °KH; pH 6,0–7,5.
Vermehrung: Stecklinge.
Standort: In Gruppen im Hintergrund oder an den Seiten.

Hygrophila corymbosa
Großer Wasserfreund
Familie *Acanthaceae*
(Bärenklaugewächse)

Verbreitung: Indien, Malaysia, Indonesien.
Aussehen: Etwa 60 cm hoch. Blätter kreuzgegenständig, lanzettlich, kirschbaumähnlich. Stengel braun. Verschiedene Formen mit schmalen, breiten und roten Blattspreiten im Handel.
Pflege: Raschwüchsig, anpassungsfähig, aber in zu saurem Wasser kleinblättrig, gelbsüchtig und fleckig (wie alle Hygrophila-Arten). Benötigt regelmäßige Eisendüngung, vor allem die rotblättrigen Formen, sie brauchen auch mehr Licht als die grünen. Regelmäßig stutzen und neu stecken. Verzweigung erst nach Rückschnitt.
Licht: Etwa 50 W/100 l.
Wasser: 22–28 °C; 2–15 °KH; pH 6,5–7,5.
Vermehrung: Stecklinge.
Standort: Gruppenweise im Hintergrund oder an den Seiten, auch solitär – als Blickfang – in kleinen Aquarien.

Hygrophila difformis
Indischer Wasserstern
Familie *Acanthaceae*
(Bärenklaugewächse)

Verbreitung: Indien, westliches Hinterindien.
Aussehen: Etwa 50 cm hoch. Blätter kreuzgegenständig, gestielt. Submerse Blätter tief fiederschnittig. Aussehen variabel: Blätter bei Kälte nur klein, gelappt statt gefiedert; bei Lichtmangel nur schwach gefiedert und lange Internodien. Wurzeln an den Stengelknoten. (Foto Seite 20 und 29.) Zuchtform (»Weißgrün«) mit weißen Blattadern ab und zu im Handel.
Pflege: Braucht nährstoffreichen Boden, regelmäßige Nachdüngung mit eisenhaltigem Flüssigdünger und gutes Licht, CO_2-Düngung empfehlenswert. Bei Eisenmangel Chlorose.
Licht: 75 W/100 l.
Wasser: 23–28 °C; 2–15 °KH; pH 6,5–7,5.
Vermehrung: Stecklinge, ausläuferähnliche Seitentriebe.
Standort: In Gruppen im Vorder- und Mittelgrund; in kleinen Aquarien auch solitär.

Hygrophila polysperma
Indischer Wasserfreund
Familie *Acanthaceae*
(Bärenklaugewächse)

Verbreitung: Indien.
Aussehen: 60 cm hoch. Blätter kreuzgegenständig, lanzettlich, grün bis bräunlich.
Pflege: Verzweigt sich stark, deshalb nicht zu dicht stecken. Gruppen regelmäßig stutzen, auslichten, verjüngen. Anspruchslos, regelmäßige Düngergaben empfehlenswert.
Licht: 50 W/100 l.
Wasser: 20–30 °C; 2–15 °KH; pH 6,5–7,8.
Vermehrung: Stecklinge.
Standort: In Gruppen im Mittel- und Hintergrund.

Limnophila aquatica
Großblätteriger Sumpffreund
Familie *Scrophulariaceae*
(Rachenblütler)

Verbreitung: Indien, Sri Lanka.
Aussehen: Etwa 50 cm hoch. Submerse Blätter einfach oder doppelt gefiedert, die einzelnen Segmente nahezu fadendünn. Blätter in drei- bis zwölfzähligen Quirlen, Durchmesser von gut entwickelten Pflanzen bis 12 cm.
Pflege: Anspruchsvollste Limnophila-Art, lichtbedürftig, wächst nur bei guter Beleuchtung kompakt. Regelmäßige Eisengaben nötig! Verträgt Wasser unter 8 °KH besser als hartes.
Licht: 75 W/100 l.
Wasser: 24–27 °C; 3–12 °KH; pH 6,5–7,5.
Vermehrung: Stecklinge.
Standort: Nur für hohe Aquarien zu empfehlen, da häufiges Einkürzen und Neustecken in flachen Becken Kümmerformen ergibt. Steht am besten vor dunklem Hintergrund. Paßt gut zu breitblättrigen, dunkelgrünen oder roten Pflanzen.

Limnophila sessiliflora
Blütenstielloser Sumpffreund
Familie *Scrophulariaceae*
(Rachenblütler)

Verbreitung: Tropisches Südost-asien.
Aussehen: Etwa 50 cm hoch. Sproßachse mit gefiederten und gabelig geteilten Blättern, die in 8 bis 13zähligen Quirlen stehen; Sproßspitzen bei guter Beleuchtung leicht rötlich gefärbt. (Foto Seite 30.)
Pflege: An höhere Wasserhärte anpassungsfähiger als *Limnophila aquatica*. Regelmäßige Eisengaben unbedingt notwendig! Sehr lichtbedürftig. An der Wasseroberfläche flutende Sprosse verzweigen sich willig, verkahlen aber oft unten. Rechtzeitig verjüngen, Gruppen nicht zu dicht stecken!
Licht: 75 W/100 l.
Wasser: 22–28 °C; 3–15 °KH; pH 6,0–7,5.
Vermehrung: Stecklinge.
Standort: In Gruppen im Mittel- und Hintergrund.

Lobelia cardinalis
Kardinalslobelie
Familie *Lobeliaceae*
(Lobeliengewächse)

Verbreitung: Nordamerika.
Aussehen: Etwa 50 cm (submers)
hoch. Blätter wechselständig, gestielt, elliptisch bis verkehrt-eiför-
mig oder spatelförmig, leuchtend
grün. An Luftsprossen kardinal-
rote Blüten in endständigen Blü-
tenständen. (Foto Seite 10.)
Pflege: Wächst submers langsam;
lichtbedürftig, daher etwas weitere
Pflanzabstände in der Gruppe nötig; sonst anspruchslos.
Licht: 50 W/100 l.
Wasser: 20–26 °C; 5–12 °KH;
pH 6,5–7,5.
Vermehrung: Stecklinge.
Standort: In Gruppen im Mittel-
und Hintergrund sowie an den Seiten. Paßt gut zu dunklen und roten
Pflanzen.
Tip: Eignet sich gut für emerse
Haltung im großen Paludarium,
Blumenfenster und im Garten
(Blütentriebe bis zu 1,50 m hoch!).
Warnung: Der Saft, der aus ver-
letzten Pflanzen austritt, soll für
manche Fischarten giftig sein!

Ludwigia repens
Kriechende Ludwigie
Familie *Onagraceae*
(Nachtkerzengewächse)

Verbreitung: Tropisches Nordamerika und Mittelamerika.
Aussehen: Etwa 50 cm hoch. Blätter kreuzgegenständig, kurzgestielt, rundlich bis breitoval, Oberseite olivgrün, Unterseite rötlich
bis tiefrot; Färbung lichtabhängig,
bei schwachem Licht bleibt die
Pflanze blaß. Variable Art in verschiedenen Wuchsformen.
(Foto Umschlagrückseite.)
Pflege: Verträgt kühleres Wasser
besser als zu warmes; braucht
nährstoffreichen Boden und regelmäßiges Nachdüngen nach jedem
Wasserwechsel. Verzweigt sich
reichlich, daher beim Pflanzen auf
genügend Seitenabstand achten!
Licht: 50 W/100 l.
Wasser: 20–30 °C; 2–15 °KH;
pH 5,5–7,5.
Vermehrung: Stecklinge.
Standort: In Gruppen im Mittelgrund und an den Seiten.

Myriophyllum aquaticum
Brasilianisches Tausendblatt
Familie *Haloragaceae*
(Seebeerengewächse)

Verbreitung: Südamerika, im süd-
lichen Nordamerika eingebürgert.
Aussehen: 50 cm hoch. Sproßachse verzweigt. Feingefiederte
Wasserblätter in drei- bis sechszäh-
ligen Quirlen. Bei guter Beleuchtung Sproßspitzen rötlich. An der
Wasseroberfläche flutende Triebe
können kammartige, derbe Luft-
blätter bilden.
Ähnliche Art: *Myriophyllum
matogrossense* (Rotes Tausendblatt) – kleiner, bei intensiver Beleuchtung und Eisendüngung
Blättchen rotbraun.
Pflege: Nicht zu oft stutzen, aber
auslichten, bevor sie den Bodenpflanzen zuviel Licht wegnimmt!
Düngung und CO_2-Zusatz fördern
kräftigen Wuchs.
Licht: Etwa 50 W/100 l.
Wasser: 18–30 °C; 2–15 °KH;
pH 5,0–7,5.
Vermehrung: Stecklinge.
Standort: In Gruppen im Hintergrund.
Tip: Gute Ablaichpflanze.

Rotala macrandra
Rotweiderich
Familie *Lythraceae*
(Weiderichgewächse)

Rotala rotundifolia
Rundblättrige Rotala
Familie *Lythraceae*
(Weiderichgewächse)

Saururus cernuus
Eidechsenschwanz
Familie *Saururaceae*
(Eidechsenschwanzgewächse)

Verbreitung: Indien.
Aussehen: 50 cm hoch. Blätter kreuzgegenständig, sitzend, breit-eiförmig bis elliptisch, olivbraun bis dunkelrotbraun. (Foto Umschlagseite 3 und Umschlagrückseite.)
Pflege: Stengel und Blätter druckempfindlich. Anfällig gegen Schneckenfraß. Starkes Licht, gedünger Boden und regelmäßige Eisengaben sind notwendig, um die rote Farbe zu erhalten und zu vertiefen. Pflanze vergrünt bei schwachem Licht. Auch bewegtes Wasser und niedrige pH-Werte kommen der roten Farbe zugute.
Licht: 75 W/100 l.
Wasser: 25–30 °C; 2–15 °KH; pH 6,0–7,0.
Vermehrung: Stecklinge.
Standort: In Gruppen als Blickfang. Paßt gut zu grünen, feinfiedrigen Pflanzen.
Tip: Nicht in Aquarien mit lebhaften, wühlenden Fischen halten.

Verbreitung: Südostasiatisches Festland.
Aussehen: Etwa 50 cm hoch. Wuchs submers aufrecht, emers kriechend. Blätter kreuzgegenständig (selten in drei- bis vierzähligen Quirlen), Form variabel, meist langoval, auch schmal lanzettlich oder fast rund. Die Sproßspitzen der sonst grünen Pflanze können in der Nähe der Lichtquelle rötlich sein. (Foto Seite 10.)
Ähnliche Art: *Rotala wallichii* (Quirlblättrige Rotala) – Blättchen nadeldünn, quirlständig (ähnliche Ansprüche, braucht aber weiches Wasser und pH-Werte von 5,0–6,5).
Pflege: Bodendüngung, regelmäßiger Wasserwechsel und eisenhaltiger Flüssigdünger nötig für zügiges Wachstum und rötliche Farbe.
Licht: 50 W/100 l.
Wasser: 20–30 °C; 2–15 °KH; pH 5,5–7,2.
Vermehrung: Stecklinge.
Standort: In Gruppen im Mittel- und Hintergrund.

Verbreitung: Nordamerika.
Aussehen: Über 25 cm hoch, im Aquarium langsamwachsend und kleinbleibend; in der Natur (als Sumpfpflanze) bis 1,50 m hoch. Blätter wechselständig, herzförmig, hellgrün bis sattgrün. (Foto Umschlagseite 3.)
Pflege: Sehr lichtbedürftig; braucht gedüngten Boden und häufigen Wasserwechsel mit Nährstoffzusatz. Bei schwachem Licht und zu hoher Temperatur Kümmerwuchs. Regelmäßig einkürzen und neu stecken.
Licht: 75 W/100 l.
Wasser: 18–25 °C; 5–15 °KH; pH 6,5–7,5.
Vermehrung: Im Aquarium nicht möglich; bei emerser Haltung durch Ableger und Samen.
Standort: Vordergrund.
Tip: Gut geeignet für emerse Haltung, gedeiht sehr gut im Gartenteich und in Gewächshäusern.

Shinnersia rivularis
Mexikanisches Eichenblatt
Familie *Asteraceae*
(Korbblütler)

Eichhornia crassipes
Wasserhyazinthe
Familie *Pontederiaceae*
(Wasserhyazinthengewächse)

Pistia stratiotes
Muschelblume
Familie *Araceae*
(Aronstabgewächse)

Verbreitung: Nordmexiko.
Aussehen: 100 cm hoch (und höher). Blätter kreuzgegenständig, am Rand mehrfach eingebuchtet oder tiefer gelappt, sattgrün (Zuchtform mit weißen Blattnerven im Handel). Sehr schnellwüchsig (bis 40 cm pro Woche), bildet lange Internodien, erst in der Nähe der Lichtquelle werden die Blätter dichter. Die Triebe fluten und verzweigen sich; Neutriebe über die ganze Länge der Sproßachse. (Foto Seite 30.)
Pflege: Anspruchslos. Nur für große Aquarien zu empfehlen, da sonst wöchentliches Auslichten unbedingt nötig (führt bald zu Kümmerwuchs).
Licht: 75 W/100 l.
Wasser: 20–28 °C; 2–15 °KH; pH 5,5–7,5.
Vermehrung: Stecklinge.
Standort: In Dickichten oder in ständig zurechtgestutzten Gruppen im Hintergrund oder an den Seiten.

Verbreitung: Tropisches Amerika, weltweit in Tropen und Subtropen eingeschleppt.
Aussehen: Etwa 35 cm hoch. Wurzeln dunkel, reichverzweigt. Blätter rundlich bis herzförmig, Blattstiele kugelig oder länglich aufgetrieben. Blüten blau, duftend.
Pflege: Schwimmpflanze für offene Aquarien oder für Becken mit abgesenktem Wasserstand (große Zuchtaquarien). Braucht etwa 40 cm freien Luftraum über dem Wasserspiegel. Verträgt kein Schwitzwasser. Gedeiht umso besser, je stärker die Fische das Wasser düngen. Rechtzeitig auslichten (Lichtmangel bei Bodenpflanzen).
Tip: Gut geeignet zum Schattieren. Wurzeln zum Nestbau, als Laichsubstrat und Schutz für Nachzucht.
Licht: Mindestens 50 W/100 l, am besten Sonnenlicht im offenen Becken.
Wasser: 22–26 °C; 2–15 °KH; pH 6,0–7,8.
Vermehrung: Seitentriebe, Ableger.

Verbreitung: Tropen und Subtropen.
Aussehen: Bis 15 cm Durchmesser bei Sonnenlicht, im Aquarium nur bis 10 cm Durchmesser. Rosette aus fleischigen, spatelförmigen, filzig behaarten, blaugrünen Blättern. In den inneren Blattachseln winzige, behaarte weiße Blüten. Helle bis bläulichschwarze Wurzelbüsche. Wächst in flachen Aquarien am Boden an. (Foto Seite 30 und 40.)
Pflege: Verträgt keine starke Hitze, kein Schwitzwasser. Bei längerer Aquarienkultur Kümmerwuchs.
Licht: Etwa 50 W/100 l.
Wasser: 22–26 °C; 5–15 °KH; pH 6,5–7,5.
Vermehrung: Ableger.
Tip: Gut geeignet zum Schattieren, als Laichsubstrat und für Verstecke.

Farne

Bolbitis heudelotii
Kongo-Wasserfarn
Familie *Polypodiaceae* beziehungsweise *Lomariopsidaceae* (Farngewächse)

Ceratopteris thalictroides
Sumatrafarn
Familie *Parkeriaceae* (Farngewächse)

Microsorium pteropus
Javafarn
Familie *Polypodiaceae* (Farngewächse)

Verbreitung: Äthiopien bis Südafrika.
Aussehen: In der Natur bis 50 cm, im Aquarium oft nur 20 cm hoch. Kriechendes Rhizom. Blätter gestielt, dunkelgrün, hart, etwas brüchig; Blattspreite gelappt und gefiedert. Wächst im Freiland in der Spritzwasserzone von reißenden Bächen. Wurzelt unter Wasser, Blätter emers, zur Regenzeit ganz untergetaucht. (Foto Seite 19.)
Pflege: Rhizom nicht einpflanzen, besser auf Wurzelholz oder Stein (Lava) aufbinden. Braucht bei submerser Haltung bewegtes, sauberes Wasser und ab und zu etwas Dünger.
Licht: 30 W/100 l.
Wasser: 22–26 °C; 2–12 °KH; pH 5,8–7,0.
Vermehrung: Rhizomteilung oder Seitensprosse am Rhizom.
Standort: Solitär oder an beschatteten Stellen im Hintergrund oder an den Seiten.

Verbreitung: Tropen, weltweit.
Aussehen: Bis 50 cm hoch. Dichte Rosette, hellgrün, Blattspreiten tief fiederschnittig. Große, feinverzweigte Wurzelbüsche. Die beiden ähnlichen Arten, der Wasserhornfarn *(Ceratopteris cornuta)* und der Schwimmende Hornfarn *(Ceratopteris pteridoides)* werden oft auch als Wuchsformen von *Ceratopteris thalictroides* bezeichnet. (Foto Umschlagvorderseite.)
Pflege: Raschwüchsig in gut gedüngtem Wasser, vermehrungsfreudig! Nicht zu tief pflanzen, die Ansatzstelle der Wurzeln muß über dem Bodengrund sichtbar sein.
Licht: 50 W/100 l.
Wasser: 22–30 °C; 5–15 °KH; pH 6,5–7,5.
Vermehrung: Adventivpflanzen an den Blatträndern, sehr produktiv.
Standort: Solitär, in großen Aquarien gruppenweise im Hintergrund. Auch als Schwimmpflanze.

Verbreitung: Tropisches Südostasien.
Aussehen: Etwa 20 cm hoch. Rhizom kriechend, grün. Blätter einzeln, gestielt, lanzettlich, selten dreilappig, dunkelgrün. Im Freiland amphibisch, emers in der Spritzwasserzone von Sturzbächen, submers auf Steinen oder Bäumen wurzelnd. (Foto Seite 29).
Pflege: Rhizom nicht einpflanzen, auf Holz oder Steine aufbinden, wächst von selbst an.
Licht: 30 W/100 l (verträgt notfalls noch weniger).
Wasser: 20–28 °C; 2–12 °KH; pH 5,5–7,5.
Vermehrung: Adventivpflanzen an Blättern und Wurzeln, auch Rhizomteilung möglich.
Standort: Solitär oder in Gruppen im Vorder- und Mittelgrund.
Tip: Gut geeignet für Cichlidenaquarien.

Salvinia auriculata
Kleinohriger Büschelfarn
Familie *Salviniaceae*
(Wasserfarngewächse)

Verbreitung: Tropisches Amerika.
Aussehen: Schwimmpflanze. Blatt-durchmesser bis zu 1,5 cm. Sproß-achse bis 20 cm lang, verzweigt, mit Blättern in Dreier-Quirlen. Zwei sind als Schwimmblätter aus-gebildet, blaugrün, das dritte ist ein feinzerteiltes Wasserblatt, das die Funktion der Wurzel über-nimmt. (Foto Umschlagrückseite.)
Pflege: Verträgt weder Schwitz-wasser noch die Hitze unter der Deckscheibe, Deckscheibe daher schräg auflegen! Bildet bei Licht- und Nahrungsmangel Kümmer-form, die dem kleineren Rund-blättrigen Büschelfarn *(Salvinia rotundifolia)* ähnelt.
Licht: 50 W/100 l.
Wasser: 20–27 °C; 5–12 °KH; pH 6,0–7,0.
Vermehrung: Abnehmen von Sproßverzweigungen.
Tip: Gut geeignet zum Schattieren von Becken mit lichtempfindlichen Fischen, für kleinere Zuchtbecken und für Verstecke.

Vesicularia dubyana
Javamoos
Familie *Hypnaceae*
(Schlafmoosgewächse)

Verbreitung: Indien, Malaya, Java.
Aussehen: Einzelblatt bis 4 mm lang. Laubmoos mit dünnem Sten-gel und zwei Reihen von kleinen lanzettlichen Blättchen. Haftet mit Rhizoiden auf Stein, Holz oder dem Bodengrund. Verzweigt sich reichlich und bildet dichte Polster.
Pflege: Einpflanzen nicht nötig, anspruchslos.
Licht: um 25 W/100 l.
Wasser: 20–30 °C; 2–15 °KH; pH 5,8–7,5.
Vermehrung: Teilung der Polster.
Tip: Gut geeignet für Begrünung von Hölzern und Steinen und als Ablaichpflanze für Bodenlaicher aller Art.

Riccia fluitans
Teichlebermoos
Familie *Ricciaceae*
(Sternlebermoosgewächse)

Verbreitung: Weltweit.
Aussehen: Länge eines Thallus (Vegetationskörpers) etwa 2 cm. Schwimmpflanze oder auf Substrat haftend, flacher, gabelig verzweig-ter Thallus, der mit anderen ver-filzt und dichte Polster bildet. (Foto Seite 19.)
Pflege: Anspruchslos, ganz wei-ches, nährstoffarmes Wasser wird aber nicht lange vertragen, recht-zeitig nachdüngen! Auch keine starke Wasserbewegung durch Kreiselpumpen.
Licht: 50 W/100 l (oder weniger).
Wasser: 15–30 °C; 5–15 °KH; pH 6,0–8,0.
Vermehrung: Teilung der Polster.
Tip: Gut geeignet zum Schattieren, als Laichsubstrat, Nestbauhilfe und Schutz für kleine Jungfische.

Arten- und Sachregister

Die **halbfett** gesetzten Seitenzahlen verweisen auf Farbfotos. U = Umschlagseite.

Ratgeber für Aquarien- und Terrarienfreunde

Peter Stadelmann
Der Gartenteich
Anlage, Pflege und Überwintern leicht
gemacht. Mit Wasserpflanzen, Fischen und
anderen Tieren.

Helga Braemer
Ines Scheurmann
Das Aquarium
Der praktische Ratgeber für den
Aquarien-Neuling.
Sonderteil: Wasserkunde leicht
verständlich.

Ines Scheurmann
Das GU Aquarienbuch
Fische und Pflanzen im Süßwasser-
aquarium. Sonderteil: Verhalten und Brut-
biologie der Fische.

Ines Scheurmann
Wasserpflanzen im Aquarium
Auswahl, Pflanzung, Pflege, Vermehrung
und Technik. Sonderteil: Schöner Wohnen
mit Pflanzenaquarien und Paludarien.

Harald Jes
Echsen als Terrarientiere
Antworten auf wichtige Fragen der
Echsenhaltung wie: Anschaffung, Pflege,
Ernährung, Krankheiten und Terrarien-
technik – leicht verständlich.

Klaus Griehl
Schlangen
Riesenschlangen und Nattern im
Terrarium. Wichtiges über Anschaf-
fung, Pflege, Ernährung und
Krankheiten.

Harmut Wilke
Schildkröten
Praktischer Rat zur
artgerechten Haltung.
Sonderteil: Schildkröten
verstehen lernen.

Jeder Band mit 56-144 Seiten, 20-80
Farbfotos und 20-70 Zeichnungen.
Paperback.

Bücher

Horst, K.: Pflanzen im Aquarium. Ulmer Verlag, Stuttgart 1986

Horst, K.; Kipper, H. H.: Das optimale Aquarium. Aquadocumenta-Verlag, Bielefeld 1985

Horst, K.; Kipper, H. H.: Die optimale Aquarienkontrolle. Aquadocumenta-Verlag, Bielefeld 1986

Jacobsen, N.: Cryptocorynen. Kernen Verlag, Stuttgart 1982

Krause, H.-J.: Aquarienwasser. Kosmos-Verlag, Stuttgart 1985

Nieuwenhuizen, A. van den: Das Wunder im Wohnzimmer. Edition Kernen, Essen 1986

Paffrath, K.: Bestimmung und Pflege von Aquarienpflanzen. Landbuch-Verlag, Hannover 1979

Riehl, R.; Baensch, H. A.: Aquarienatlas I. 4. Auflage, Mergus-Verlag, Melle 1985

Riehl, R.; Baensch, H. A.: Aquarienatlas II. 1. Auflage, Mergus-Verlag, Melle 1985

Scheurmann, I.; Braemer, H.: Das Aquarium. Gräfe und Unzer Verlag, München 1986

Scheurmann, I.: Das GU Aquarienbuch. Gräfe und Unzer Verlag, München 1985

Zeitschriften

Die Aquarien und Terrarien Zeitschrift (DATZ) Reimar Hobbing, Edition Kernen, Stuttgart

Aquarien Magazin, Kosmos-Verlag, Stuttgart

Tetra-Informationen, (TI), Tetra-Werke, Melle

Aquarium heute, Aquadocumenta-Verlag, Bielefeld

Beispielhaftes Pflanzenaquarium. Vorne rechts: Eidechsenschwanz (*Saururus cernuus*) nach hinten ansteigend; Mittelgrund: rechts Rotweiderich (*Rotala macrandra*), links Großes Fettblatt (*Bacopa caroliniana*), davor Perlkraut (*Micranthemum umbrosum*).